D0675489

DEUX SOURIS
POUR UN CONCORDE

JEAN-LOUIS LE MAY

DEUX SOURIS POUR UN CONCORDE

ROMAN

COLLECTION « ANTICIPATION »

EDITIONS FLEUVE NOIR
6, rue Garancière - PARIS VIe

CHAPITRE PREMIER

Penché sur les tiges nues émergeant du paillis de protection, Robert Sainval contemplait la progression de la sève. Futurs supports des bourgeons, les nœuds commençaient à prendre couleur. Pour le végétal, l'hibernation finissait. Le signal lumineux du printemps relançait la fantastique alchimie qui permet de transformer, dans l'exacte mesure des besoins, les matériaux d'une nouvelle croissance. A des distances insoupçonnées, les radicelles filiformes triaient avec patience les éléments traces indispensables à la vie du rosier.

Sous le chapeau de feutre informe, le front de l'homme âgé se plissa, de la même manière qu'autrefois, à Orsay et ailleurs, lorsqu'il dominait des feuillets couverts de signes, de chiffres ou de tracés. Ici, cependant, la préoccupation était de nature différente. Un des plus brillants cerveaux de son époque ayant décidé, comme certains sages avant lui, de cultiver son jardin.

Finie l'époque des soirées studieuses, harassantes, passées à surveiller le montage puis le fonctionnement d'instruments ou d'appareillages en gestation, aux noms incertains, aux formes indescriptibles parce qu'en changement perpétuel, de par la volonté des expérimentateurs, allant à tâtons dans le tunnel de l'inconnaissable.

Terminé, le temps des conférences scientifiques et des échanges internationaux d'où l'on revient avec un crâne et un foie également hypertrophiés. Oubliées, les séances durant lesquelles un problème posé par un contemporain ou un individu mort depuis des siècles trouve enfin sa solution. Laquelle donnera aussitôt naissance à quantité de petits problèmes qu'il faudra que quelqu'un résolve, un jour, dans l'avenir.

Laissée aux plus jeunes, la formulation d'hypothèses remettant en cause l'acquit fondamental qui a donné naissance aux moyens d'observation et de traitement permettant cette remise en cause. Simplement parce que l'insatiable curiosité du chercheur doit se doubler d'une forte dose d'incrédulité, voire d'irrespect, pour les travaux antérieurs.

Une curiosité qui n'habitait plus Robert Sainval. Il préférait le calme de la vallée du Rû au bourdonnement de ruche des laboratoires de son Département et prétendait que la forme d'un arrosoir était plus rationnelle que celle d'un compteur de corpuscules.

Il faut dire que le départ de Robert Sainval de son poste de directeur des recherches au C.N.R.S. avait fait autant de bruit qu'une bombe dans les milieux scientifiques. On le savait excentrique, pourvu d'un fort caractère, ce que certains de ses pairs qualifiaient volontiers de caractère de cochon. On n'ignorait pas plus qu'il défendait des idées avancées, peu conformistes, que d'autres esprits, prompts à juger, considéraient comme fâcheusement engagées.

Mais personne, dans le Landerneau de la Recherche, n'eût imaginé que le jour même où la loi lui en donnerait le loisir, il ferait valoir ses droits à la retraite, abandonnant brutalement une direction qui avait semblé former son unique horizon spirituel.

Bien entendu, un départ dans de telles conditions avait fait jaser. Les uns avaient prétendu que, lassé par une vie de pauvreté au service d'un organisme de plus en plus contesté, le physicien avait accepté une chaire grassement rétribuée dans une Université étrangère. Les autres, à peine moins fielleux, avaient suggéré qu'il existait des postes vacants de conseiller scientifique dans la plupart des grandes sociétés multinationales.

Une célèbre entreprise américaine de chasseurs de têtes avait été soupçonnée. Les membres de la corporation les mieux disposés à l'égard du couple Sainval avaient supputé un état de santé soudain défaillant. Après tout, quarante années de vie à côtoyer les corpuscules fondamentaux de l'Univers, cela peut user la fragile machine humaine. Bien peu, même parmi les intimes, avaient voulu retenir l'explication très simple fournie par le chercheur.

Pour la bonne raison qu'en cette affaire la réalité pouvait être comparée à l'iceberg. Ce qui était divulgué avait la limpidité de l'eau de source, la blancheur de la neige. Robert Sainval et sa femme quittaient le C.N.R.S., estimant avoir rempli leur contrat moral envers la société en donnant à celle-ci quarante années de travaux scientifiques ininterrompus. Place aux jeunes.

La partie cachée de l'iceberg, celle qui soutient l'autre sous le niveau de la mer et demeure invisible, sauf des plongeurs que la glace n'effraie pas, présente d'étranges fissures, des failles géantes, des ombres et des clairs. Le directeur de la Recherche affecté depuis huit ans à Orsay en avait eu soudain assez de se battre contre une administration irresponsable et omnisciente, utilisant la répartition des moyens comme autant de leviers lui permettant de disposer à son gré de la matière grise surabondante de l'organisme scientifique.

Robert Sainval n'avait plus accepté de se croire complice du pillage systématique des connaissances accumulées dans les multiples départements de la recherche scientifique. Il en avait eu assez de voir pleurer silencieusement une jeune assistante licenciée ès sciences, survivant misérablement avec un salaire inférieur à celui d'un éboueur analphabète, tout en sachant qu'elle ne parviendrait à s'élever d'un cran dans la hiérarchie boursouflée du C.N.R.S. qu'avec l'approche de la quarantaine.

Il n'avait plus admis que les résultats des travaux des groupes soient immédiatement exploités par les services spécialisés des grandes entreprises multinationales ayant des observateurs intelligents et efficaces non seulement dans les laboratoires mais encore dans l'organisme chargé de l'évaluation des résultats et de leur protection.

Correctement noyautées, ces entités administratives à très haut coefficient intellectuel étaient devenues des mines d'or pour les plus malins, donc les plus riches. Le temps que les innombrables rouages, rouillés, endormis ou paralysés des services officiels se mettent en branle à l'apparition d'un résultat prometteur, celui-ci était détourné, disséqué, évalué par les plus puissantes unités d'analyse de la planète et aussitôt assimilé. Ce qui en valait la peine restait dans la mémoire des machines. Le reste était rejeté comme un pépin gênant.

Et Robert Sainval ne voulait plus être responsable d'opérations qui fournissaient aux maîtres insaisissables de la société de consommation, des moyens toujours plus efficaces de créer des besoins, de fabriquer des marchés, d'imposer le rythme des dépenses sans omettre de laisser la facture de la Recherche à l'Etat, aveugle, sourd et muet quand il n'était pas complaisant.

Le physicien avait estimé qu'étant donnée l'impossibilité de lutter avec succès contre le courant des habitudes et des compromissions qui entraînait tout sur son passage, il valait mieux refuser de suivre le cours de la rivière rejetée hors de son lit naturel et sain.

Ce qui l'avait amené à proclamer bien haut sa volonté définitive de passer le reste de ses jours dans sa retraite du Rû, en compagnie de Madeleine, sa femme, chercheuse, elle aussi. Mais il avait refusé toute polémique concernant leur départ.

En haut lieu, cet endroit imprécis où, paraît-il, s'ourdissent les complots, se font et se défont les carrières, se prennent ou sont censées se prendre les décisions, il ne s'était trouvé personne pour retenir le couple Sainval.

D'abord, parce que ce départ imprévu libérait une place de directeur et une autre de maître de recherches, aussitôt gelées par le patron du moment, afin de les offrir à des amis intéressants, susceptibles, sait-on jamais, de renvoyer l'ascenseur ou de favoriser la carrière.

Ensuite, parce que l'administration, que les sondages, unanimes, affirment être la meilleure et la plus efficace du monde, chargée de la liquidation de la retraite du couple Sainval, ne connaît des individus que leur numéro d'enregistrement dans le grand ordinateur.

Si bien que la nouvelle du départ des deux scientifiques n'était parvenue sur le bureau du ministre de tutelle qu'au moment où Robert Sainval taillait ses rosiers nains, pour la première fois tranquille, tandis que Madeleine repassait le voilage des fenêtres.

Après une tempête de quelques heures, le ministre avait dû baisser les bras, devant l'inertie totale, absolue, du monstre administratif et l'attitude respectueusement réprobatrice des hypertechnocrates de son entourage, silhouettes grises, glacées, empressées, décourageantes. Tout ce qu'il lui avait été possible d'apprendre tenait en quatre lignes, sèches, rédigées par un des « illisibles » de service.

Quant à la presse et aux moyens d'information habituels, ils avaient ignoré l'affaire Sainval comme ils avaient ignoré la vie du couple. Evidemment Robert et Madeleine Sainval n'étaient pas les Joliot-Curie ni les Einstein. Ils n'avaient pas inventé non plus le rayon de la mort ou de nouveaux hypnogènes. Ils n'avaient pas fait naître les premiers jumeaux en flacon ni escroqué quelques milliards de fonds publics en construisant des ruines de béton. Pire ! Ils n'avaient jamais œuvré dans le domaine si excitant des énergies nouvelles, avant que toutes les découvertes ne passent à l'industrie privée. Même en cherchant bien, pas un seul petit assassinat indirect à leur reprocher, pas un scandale, rien qui soit de nature à soulever l'enthousiasme des foules et à attirer quelques lecteurs ou auditeurs supplémentaires.

Il y avait bien le militantisme mondialiste... mais pas question de faire référence à de tels errements, « On » y veillait. Impossible de savoir où, mais la chose était certaine.

Il est juste de souligner qu'ils n'avaient rien tenté pour intéresser les « médias » à leur sort, ayant toujours affecté d'ignorer ce que ce mot barbare pouvait bien signifier. En revanche, ils avaient la satisfaction de pouvoir compter sur la fidélité et l'affection des jeunes membres de leurs équipes. Ceux qui travaillaient sur les sujets essentiels du moment. De futurs Sainval, en quelque sorte. Petits retraités de l'avenir, sans odeur, qui s'effaceraient de la surface du monde sans emmerder les gens dans la colonne des faits divers. Tout juste une ligne dans la rubrique nécrologique, le moins cher.

Et de tout ce qui précède, Robert Sainval se moquait désormais comme d'une nèfle ou d'une guigne (à votre choix). Il était heureux. Auprès de la femme de sa vie, Madeleine, plus souvent appelée Lon... Quarante années côte à côte et enfin ensemble. Plus unis que jamais. Formant ce qu'ils estimaient être la seule et unique raison d'exister de l'espèce, sur la Terre : un couple.

Ils avaient eu des enfants qui n'avaient pas attendu trop longtemps pour pouponner. Les familles se réunissaient de temps à autre. Suffisamment pour continuer à s'aimer. Point trop souvent pour éviter la lassitude. Pas d'égoïsme dans cette attitude. Robert et Madeleine refusaient seulement d'être les esclaves de quiconque, étrangers, enfants ou petits-enfants.

Robert Sainval se pencha, replaça ses lunettes qui glissaient sur son nez long et maigre et grogna. Incroyable ! Des pucerons à cette époque ! Snouff, sniff, snouff... une vapeur jaune fusa du soufflet aux tiges. Bruits de pas discrets sur le gravier. Madeleine qui regarda, aspira l'air empli du parfum du printemps, agrémenté de quelques particules de fleur de soufre. Eternuement !

Le physicien se redressa et regarda sa femme avec attention. Sous les cheveux de neige, les yeux bleus riaient. Elle ne vieillissait pas, Lon ! La coupe de sa coiffure, à la chinoise, était la même depuis si longtemps... l'époque où petite fille elle galopait sur la pelouse de la Grange, poursuivie par un grand dadais en culottes courtes faisant ressortir la maigreur de ses jambes.

— Es-tu couverte, au moins ? s'inquiéta-t-il, pour la forme.

— Mais oui, mon chéri. Je viens de recevoir une communication de Paris.

— Intéressant ? demanda-t-il en se penchant de nouveau sur ses précieux rosiers nains.

— Je le crois. Julie de Corgé vient nous voir avec trois amis. C'est assez bizarre. Elle n'a pas donné de noms et m'a semblé très troublée. Rien de la fille décontractée que nous connaissons. Je me suis demandé si elle n'avait pas peur.

— Tiens ! Quelle idée ! fit-il en se redressant pour contempler Madeleine, songeuse, les bras croisés sur son châle blanc.

— C'est pourtant ce que je persiste à croire et la raison pour laquelle j'ai aussitôt accepté. Ils viendront passer cette fin de semaine. Je leur ai proposé d'arriver ce soir, mais ce n'est pas possible, ils débarqueront donc demain. Qu'en penses-tu ?

— Le plus grand bien. Julie est une des chances d'Orsay. Si elle amène des amis de son groupe, nous sommes certains du choix. Mais je ne t'apprends rien. Je suis inquiet, en revanche, de l'impression que tu as retirée. Pourvu qu'elle n'ait pas été mise sur la touche !

— Je n'ai pas compris pourquoi elle a précisé, d'une traite, qu'ils amenaient des tentes pour coucher dehors. Ils veulent, paraît-il, camper. Tu trouves ça normal ? Chaque fois qu'elle est venue ici, elle a dormi dans la chambre bleue. Elle sait que nous avons de la place... Ils vont crever de froid, au petit matin, avec cette rosée.

— Bah ! Ils sont jeunes. Et puis rien ne t'empêche de préparer les chambres. Ils choisiront en fonction du temps qu'il fera. Tu as vu ? Tiens ! là ! Regarde... Des pucerons avant que les bourgeons n'aient percé l'écorce. Hiver trop doux, printemps trop mou, bouffées de chaleur et orages... mauvais pour les plantes... A quelle heure arrivent ces jeunes gens ?

— Au premier train.

Une fois de plus, Robert Sainval se redressa, la surprise le laissant un moment bouche bée.

— Le premier train du vendredi ? Mais il arrive à six heures !

— Six heures deux, confirma Madeleine avec un sourire de jeune fille. Julie ne m'a pas laissé le choix. Elle a tout récité, très vite, afin de m'empêcher de la questionner. Une seule chose comptait, que nous les recevions.

— Je vais commencer à croire à un événement anormal. Qu'en déduis-tu, Lon ?

— Que Julie a peur de quelqu'un ou de quelque chose et qu'elle vient nous demander conseil.

— Tu devines à quoi je pense. Elle a défilé avec nous lors du rassemblement du groupe Einstein. Les mondialistes sont de plus en plus mal vus du Pouvoir. La photo du défilé a paru dans un certain nombre de journaux et les commentaires n'étaient pas tous tendres. Etre mondialiste et appartenir à un organisme d'Etat va devenir un tour de force. C'est bon signe pour le mouvement, certainement pas pour la tranquillité de ses militants...

— Je ne crois pas que nous ayons à redouter une tuile de ce côté, observa Madeleine Sainval. Je suppose qu'elle vient voir les physiciens que nous avons été et en qui elle a confiance.

— J'aimerais mieux cela. Dans ce cas, fions-nous à ton intuition, ma chérie.

— Disons plutôt à ce que je connais de Julie de Corgé. Elle a beau avoir quelques gouttes de sang bleu, c'est une femme de tête qui ne s'effraierait pas pour un problème de mondialisme. Elle aurait d'ailleurs employé le code habituel pour y faire allusion. Non... ce qui m'intrigue, c'est la prétention de coucher sous la tente s'ajoutant à la manière dont elle a parlé. Elle ne voulait manifestement pas que je puisse répondre autrement que par non ou oui.

— Eh bien, mon cher Watson, après de si remarquables déductions, il ne me reste plus qu'à attendre cette charmante petite personne rousse et ses amis mystérieux.

— Bob... Te souviens-tu de ce qu'elle nous a laissé entendre, la dernière fois qu'elle est venue ? Il y avait ce pauvre Michel qui la couve des yeux sans parvenir à vaincre sa propre timidité...

— Michel Viauran ? Tu crois ? En tout cas, je ne me souviens pas de ce qu'elle a dit... A quel sujet ?

— Elle a fait une remarque concernant les travaux de son groupe, auquel appartient Michel. Ils font équipe avec Jacques Donat et Noelle Fournier. Elle a déclaré que si jamais ce qu'elle discernait pouvait se préciser, elle s'arrangerait pour que personne ne puisse leur voler le fruit de leurs travaux, même si pour cela elle devait employer des moyens illégaux.

— Oh !... tu sais... rappelle-toi... nous disions cela à tout bout de champ et finalement, quand la découverte est faite, il est déjà trop tard. Les pirates sont sur place et personne n'a envie de leur résister. Mais tu peux avoir raison. C'est bien de Julie de piquer un coup de sang.

— Normal, non ? Une rousse aux yeux verts !

CHAPITRE II

Six heures deux.

Le train arrive en gare de Fontaine. Ponctuel.
La locomotive halète comme un coureur après
l'effort. Elle souffle, chuinte, siffle, crache, tousse
à travers un nuage de vapeur vite dissipé. C'est
fou ce qu'une locomotive peut émettre de bruits
familiers.

Galopade du vendredi matin. Valises et sacs à
dos. Pas gymnastique jusqu'aux fourgons de
queue pour reprendre les superbis ou les vélos,
tout au moins pour les voyageurs qui en possè-
dent.

Les autres franchissent le portillon blanchi à
la chaux et s'éloignent sur la route menant au
village ou à la forêt. A droite, la Seine coule
paisiblement. Sur la rive opposée, la forêt attend
les effets du printemps. Elle n'a pas revêtu sa
robe vert tendre mais elle commence à rougir
comme une pucelle sous la montée de la sève.

Voici seulement dix ans, la rame électrique
ultra-rapide eût débarqué quelques usagers trop

démunis ou trop âgés pour disposer d'un véhicule individuel. L'amour-propre à vif, les épaules voûtées par la résignation des perdants, ils eussent regardé gronder le fleuve de métal des engins transportant les familles migrant pour la traditionnelle fin de semaine.

On n'en est plus là.

La civilisation de l'automobile est morte avec la disparition du combustible fossile. Des Renaulecs et des Citrels roulent encore en agglomération, poussées ou tirées par leurs petits moteurs électriques. Les convois de voyageurs sont désormais tractés par des locomotives à vapeur chauffées à la poussière de charbon quand ce n'est pas au charbon liquide ou à l'alcool. Le précieux pétrole est réservé aux tâches indispensables.

Et le plus étonnant, ce qui a définitivement jeté bas l'image ternie des prophètes kahniens, a été la passivité et même la philosophique acceptation de ce changement radical de mode de vie. Il est clair que chacun a admis que l'effroyable gaspillage énergétique des deux derniers siècles ne pouvait plus durer.

Personne ne proteste ni ne semble remarquer que le progrès n'est plus synonyme d'accélération. Au contraire, tout ralentit. Le train met désormais une heure quarante pour parcourir la distance entre Paris et Fontaine. Il avalait le même trajet en trente-six minutes au beau temps de l'électricité reine. Mais à cette époque, la rame de dix wagons était vide ou presque. Tandis qu'actuellement, c'est la cohue d'un bout à l'autre du trajet entre Paris et Laroche.

Souffle puissant de la vapeur qui se détend, lent cheminement des pistons qui forcent, balancement des grandes bielles qui transmettent aux roues d'acier délicatement ajourées l'énergie transformée dans la chaudière. Le train s'est ébranlé vers la gare suivante. Julie, Noelle, Michel et Jacques sont déjà à la hauteur du pont sur la Seine quand le wagon fanal libère le passage à niveau. De chaque côté de ce dernier, une cinquantaine de superbis et de vélos attendent. La tenue des cyclistes annonce, elle aussi, l'arrivée du printemps.

Julie de Corgé et ses amis avancent à grands pas. Ils sont silencieux et regardent droit devant, les mains accrochées aux sangles et aux courroies retenant les armatures des énormes sacs à dos. Ils sont vêtus de manière identique, unisexe. Culottes courtes de solide toile orange, serrées à mi-cuisses. Jambes nues jusqu'aux chaussettes de couleur vive et brodequins de cuir graissés. Blousons de toile à poches multiples que ferment des boutons plats, sous les rabats. Les chemises sont assorties à la couleur des chaussettes, à moins que ce ne soit l'inverse. Bonnet de toile pour chacun.

Avant de parvenir au second passage sous la voie ferrée, Julie entraîne ses trois compagnons sous les tilleuls dont les branches, en cette saison, ne sont que des moignons. La jeune femme s'arrête contre un des vieux bancs de bois pour vérifier les fermetures de son sac à dos.

Ils l'attendent en admirant le calme miroitement de la Seine sous l'éclairage rasant d'un soleil levant tout doré. Des péniches passent, halées par de solides percherons attelés en paires.

Julie et Michel s'affairent maintenant sur ce sac, enlevant d'une main ce que l'autre a replacé.

Leurs yeux vifs surveillent le passage des voyageurs descendus comme eux du train de Paris. Beaucoup sont à pied, par familles entières. Un flot continu de vélos, de superbis et même de quadris les doublent en chuintant.

— Vous voyez, les nénettes, fait soudain Jacques Donat, après avoir regardé le fleuve de roues à rayons et de jambes bielles, il y a un truc qui me fait toujours poiler. Biglez les quadris et montrez-m'en un seul qui soit tiré par les femmes ? Toutes les mêmes. Egales en tout aux mâles paillards et ronfleurs qui ont tout juste le droit de la boucler, qu'elles disent. Mais quand il faut travailler du triceps, c'est ce bon con de macho qui trinque. Tenez, regardez, jugez et concluez honnêtement !

— Tu déconnes, rétorque lapidairement Noelle Fournier. Ce qu'ils veulent, tous ces poilus que tu imagines martyrs, c'est montrer leurs biscottos. Demande à n'importe lequel d'entre eux et il te répondra qu'il préfère pédaler que d'avoir l'air d'une pédale. Alors, tes appréciations de phallo qui voudrait revenir à la massue et au chignon de Cro-Magnon, tu te les mets où je pense. Et de toute manière, je n'aime pas les quadris. On a l'air de connes débiles dans la remorque, en train de baratiner sur nos moutards ou la couleur de nos slips tandis que nos mâles se déhanchent. Du superbi, d'accord. Avec le gars qui me plaît. Lui ou moi au guidon, je m'en fous. Mais on pédale ensemble, on se pète la gueule ensemble, on fatigue ensemble...

— C'est ça, ouais... on fait tout ensemble, c'est connu, bougonna Jacques Donat. Mais surtout, pas avant l'arrivée de l'étape, afin que la fatigue pardonne les refus... Dans le temps, quand il y avait des fabulistes capables de torcher des proverbes ou des dictons, ils évoquaient l'âne, la carotte et le bâton.

— Dis, tu pisses du fiel ou quoi ? s'exclame Noelle en montrant les dents, qu'elle a fort belles, dans une bouche grande et charnue, tandis que ses yeux sombres avertissent.

— Non, je conclus après tes conclusions, si tu vois ce que parler veut dire. Dis voir, la Rousse, on y va ou on prend racine ?

— Je n'en sais rien. Mon sac... ça paraît calme... mais je préfère attendre un petit peu encore. Il reste des retardataires. Laissons-leur le temps.

— Parfait. Je peux donc continuer à m'engueuler avec Noelle.

— Jacques ! Tâche de garder ton excédent de bile pour la semaine, veux-tu ? Moi, j'ai besoin en ce moment de beaucoup d'égards et d'affection, compris ? proteste Noelle dont les longs cils battent devant un regard hésitant entre la malice et l'inquiétude.

— Tout ce que tu veux et plus encore quand tu me regardes comme ça, fait-il, en perdant toute agressivité.

Julie de Corgé, dite la Rousse, en raison de sa chevelure flamboyante, de sa peau laiteuse et de ses taches de rousseur, resserre pour la troisième fois la même courroie que Michel a relâchée avec des doigts qui ont tendance à trembler quand ils se rapprochent trop près de ceux de la jeune femme. Cela n'arrive jamais au labo. Un effet probable du printemps, de l'air ou peut-être d'autre chose.

Les yeux verts de Julie se détournent. Il n'y a

plus rien à regarder sur la route. Elle sourit à
Michel. Un sourire confiant, chaud, plein de
lumière, traduit-il en perdant un peu plus conte-
nance. Il l'aide à reprendre son sac. Il voudrait
le porter, en plus du sien... et Julie par-dessus
le marché. Mais il faudrait qu'il ose braver les
rires... Non... Le rire, les deux fossettes et les
petits plis des paupières, le vert brillant des yeux
moqueurs... Insupportable !

Julie soupire. Michel ! Le bon, le vrai copain.
Tout comme Jacques, ou comme Noelle est une
copine. Mot pour mot. Ils sont quatre amis mili-
tant pour la même cause. Une idée saugrenue
perce sous la toison rousse. Aucun d'entre eux n'a
jamais eu de relations amoureuses avec aucun
des trois autres. Les filles ne sont pas lesbiennes.
Les garçons ne sont pas des quarts de mâles.
Va savoir pourquoi des couples ne se sont pas
formés ?

Julie chasse l'idée bouffonne avec un rire.

— On y va ? propose-t-elle.

— Pourquoi pas ?

Ils repartent, suivant l'allée des tilleuls man-
chots, puis obliquent à gauche pour franchir le
passage sous la voie ferrée. C'est la route qui
mène au Rû. Quand ils parviennent au pied de
la côte de l'église, toute vieille et décrépie, depuis
le temps qu'elle n'a plus de curé pour aérer sa
voûte, ils commencent à entendre murmurer l'eau
qui culbute entre les pierres et le cresson.

Le sentier prend à droite de la route. Etroit
passage que Julie emprunte sans hésiter. Les
autres suivent. L'herbe a tôt fait de tremper chaussures et mollets. Peu importe. Au détour d'une
haie, Julie de Corgé s'arrête un moment pour

observer le paysage. Elle ne découvre rien de suspect. Ses compagnons non plus.

Chacun admet en lui-même qu'il serait bien difficile de découvrir quelque chose en raison de leur inexpérience. S'ils ont été suivis, s'ils sont épiés, ils n'en sauront rien, quoi qu'ils fassent. Mais ils ne négligeront pas pour autant les précautions.

Ils repartent. Le sentier s'élève, s'écarte du Rû qui disparaît parmi les herbes, entre les sommets de plantes aquatiques. Quelques saules pleureurs puis le bois qui descend sur chaque rive. On le suit. Une haie d'aubépine en bourgeons. On approche.

La porte du verger est ouverte. Inutile d'attendre. Julie franchit l'ouverture, laisse passer ses amis, referme et tourne la clé deux fois avant de l'empocher. Puis elle reprend la tête jusqu'à la maison de pierres meulières tout en haut du verger.

Une silhouette maigre, des cheveux blancs qui apparaissent sous un chapeau informe, une chemise rayée dans un pantalon sans âge. Le râteau crisse sur le gravillon de la terrasse. Robert Sainval aime le travail soigné. Mais c'est avec un large sourire de plaisir qu'il abandonne l'outil pour aller au-devant des arrivants.

— Julie ! Quelle joie de t'accueillir avec tes amis ! Noelle, Jacques, Michel ! Si je m'attendais à vous voir tous les quatre ! Madeleine va être aux anges. Viens que je t'embrasse, Noelle.

— Tu ne changeras pas, il te les faut toutes ! s'exclame Jacques Donat en aidant Michel à débarrasser les jeunes femmes de leurs sacs à dos.

— Hé !... il faut peut-être que j'en profite avant qu'il ne soit trop tard, non ?

— Madeleine ! s'exclame Julie en courant vers la petite silhouette.

Embrassade. Les joues roses de Madeleine Sainval reçoivent leur contingent d'amitié. Elle ne s'étonne pas. Pour elle, tout est naturel. Ce qui arrive était prévu. Tout va bien. Elle interroge des yeux Julie de Corgé qui demande aussitôt :

— Pouvons-nous déposer nos sacs dans le sous-sol ?

— Bien sûr. Mais pourquoi n'êtes-vous pas arrivés par le chemin du haut ? Vous êtes trempés.

— Discrétion oblige, assure Julie à mi-voix en tendant la clé du verger.

— Bien. Venez. Vous allez changer vos chaussures, vous mettre à l'aise et nous pourrons bavarder en déjeunant. Nous vous attendions.

— D'accord. Ensuite nous monterons les guitounes.

— Comme tu voudras. Tu sais où se trouvent les portes et les interrupteurs. Je fais chauffer le café et le lait. Vous devez avoir faim, levés de si bonne heure.

— C'est presque ça et pas tout à fait, murmure Julie de Corgé avec un sourire inquiet. Nous avons la faim des gens en proie à un foutu trac.

— Tu nous expliqueras tout ça quand tu auras le ventre plein... A tout hasard, j'ai préparé les chambres... Mais il n'y a aucune obligation, évidemment.

— Avec Noelle nous prendrons la bleue... comme d'habitude... Fais pas cette tête-là, Jacques, ce ne sera pas encore pour cette fois, voilà tout !

Rires.

Ils se retrouvent tous les six devant la table de chêne formée d'un plateau d'une seule pièce, fierté discrète de Robert Sainval. Elle sent bon la cire, malgré l'odeur légèrement piquante du feu qui consume lentement une bûche dans l'âtre. C'est une tradition. On n'accueille jamais autrement des amis. Le feu doit être présent.

Café, œufs, lard frais, pain en miche, beurre, lait, confitures, chacun se sert et mange à son gré, à sa faim. Le trac ne semble plus tellement préoccuper les uns ni les autres.

Hommes et femmes ont abandonné les blousons et chaussé des sandalettes.

— Robert, fait Julie de Corgé tout à trac en déposant sa tasse à demi pleine, nous avons réussi une manip si étonnante que nous avons très peur et que nous sommes venus demander conseil, à toi et Madeleine.

— Tu as bien fait. Si nous pouvons vous aider, ce sera avec joie.

— Nous savons que nous pouvons vous faire confiance, mais avant tout, je dois vous révéler l'étendue du risque. C'est tellement inouï que nous sommes persuadés de passer à la trappe à la moindre indiscrétion. Je le dis et le répète afin d'être entièrement honnête vis-à-vis de vous, peut-être apportons-nous ici les éléments d'une catastrophe. Il faut que vous sachiez que vous pourrez à tout moment refuser de suivre... Promis ?

— Je ne promets rien de semblable, ma chérie. Tu oublies que nous ne craignons pas grand-chose, Lon ni moi, et que nous aimons juger sur pièces. Où est votre ours ou quelle est cette manip ébouriffante ?

— Nous avons hésité plusieurs jours avant de venir. Madeleine et toi êtes les deux seuls amis auxquels nous pouvons nous adresser pour tenter de comprendre, chercher une voie et peut-être découvrir des moyens. Si nous suivions la procédure normale que tu connais, nous serions éliminés, neutralisés, passés à la moulinette... C'est comme ça !

— Tu ne crois pas que tu exagères un peu ?

— Oh ! non, Robert ! Ce que nous avons découvert concerne le champ de gravitation. Avec Noelle, nous avons commis une erreur de manip, une inversion de branchement par suite d'une plaisanterie de Jacques et Michel qui ont trouvé intelligent de changer le repérage.

— Je précise que nous n'avons fait qu'intervertir la totalité des jonctions du circuit d'étude sur les spires de Galkowsky. Les filles ont été troublées au point qu'après avoir replacé les repères et tout vérifié, elles ont effectué sans s'en apercevoir une torsion de la spire...

— Ne revenons pas à l'erreur de départ. L'important, c'est le résultat, coupe Julie de Corgé. Comme dans toutes les manips sur les variations des champs faibles, nous avions placé l'appareillage en double, l'un à l'intérieur de la spire, l'autre à l'extérieur, sur la paillasse isolée. Nous venions de rétablir le circuit et j'étais encore en rogne contre les bonshommes qui se marraient dans notre dos. J'ai cru voir bouger un des instruments de mesure et j'ai coupé le circuit. J'ai demandé à Noelle de regarder en même temps que moi... Tu sais ce que c'est, la pétoche... devant ce qui va arriver... tellement inattendu et tellement souhaité qu'on a les tripes tordues. Elle a

vu tout de suite et quand elle a voulu remuer
le plateau des instruments avec une baguette de
verre tout a foutu le camp, dégravité.

— Attends... Il me faut voir plus clair, observe
Robert Sainval. Le fait de repousser un objet
métallique n'est pas nouveau. Nous connaissons
tous ce genre de manip. Il suffit d'appliquer un
champ suffisamment puissant. Mais évidemment
vous ne deviez pas disposer de beaucoup d'ampé-
rage...

— Mais non, Robert, tu n'y es pas du tout.
C'est autre chose. Toujours est-il que ce jour-là
nous avons tout démonté en prenant des notes,
pour constater d'ailleurs notre erreur de branchement. Et nous avons décidé que quelle que soit
la suite donnée à cette manip, elle resterait à
nous. Pas question de laisser partir ça comme
les thermosolaires, les piles photovoltaïques à
grand rendement ou le M.H.D. pour ne parler que
de ces réussites boomerangs. Nous avons amené
tout le bidule pour que vous puissiez juger sur
pièces.

— Je préfère effectivement voir... ou expéri-
menter, murmura Robert Sainval. Es-tu certaine
de pouvoir garder au moins une partie du procédé sans redouter d'être pillée ?

— Nous le pensons. Tu verras. Nous utilisons
les mêmes émetteurs U.H.F. que pour l'étude de
la spire de Galkowsky. Nous avons découvert,
empiriquement, la loi des fréquences d'activation
de la spire et sans la connaissance précise de cette
loi, je doute que quiconque, même en program-
mant un ordinateur, puisse faire fonctionner le
bidule.

— Fais-nous voir ça, Julie, je suis impatiente

de rajeunir de vingt ans au moins ! s'exclame
Madeleine Sainval.

— Quand tu voudras.

— Pas avant que nos tentes prétextes ne soient
montées, fait observer Noelle Fournier. Pour
amener le bidule, il fallait les sacs à dos. D'où
le prétexte des tentes. Je sais... nous ressemblons
à des gosses jouant aux gendarmes et aux
voleurs... mais nous sommes, réellement, devenus
des voleurs.

— Ne dis pas cela, murmura Madeleine Sainval. Laisse-nous le temps de voir, d'étudier, de
réfléchir et de vous aider.

Deux heures plus tard, devant le physicien et
sa femme, assis sur des chaises de jardin, les
quatre chercheurs ont terminé l'installation de
leurs appareils dans une grande caisse découverte dans le sous-sol et vidée de son contenu
habituel de pommes de terre. Noelle y a placé
du papier journal pour se protéger de la terre
puis s'est assise dans la caisse, disposant la spire
dans sa gaine noire autour d'elle, puis les différents boîtiers. Les garçons ont fixé des cordes
de retenue et déposé deux cornières, liées à des
ficelles, sur les bords de la caisse, devant Noelle,
comme des avirons.

Noelle tripote les instruments, entre ses genoux.

— Allez-y, fait-elle d'une voix étranglée en se
cramponnant aux bords de la caisse.

Julie et Michel appuient sur le poussoir de leur
émetteur U.H.F.

— Voilà, annonce Noelle d'une voix hachée. La
sensation est horrible. C'est comme si je tombais
et pourtant rien ne semble avoir bougé. Tout
simplement parce que les cornières dépassent le

volume écran. Tenez bon, les gars, je vais décoller.
Doucement, tout doucement... C'est dégueulasse !
On a la nausée pas qu'un peu ! Faut pas y penser...
Voilà... j'ai ramené les cornières à l'intérieur du
champ écran...

La caisse a glissé sous la seule traction du
poids de la corde de tenue et les deux hommes
en s'écartant un peu tendent les quatre brins de
celle-ci, amenant la caisse à hauteur de leur poitrine. Ils l'y maintiennent d'une simple pression
de leurs paumes. Noelle est très pâle. Elle a la
sueur au front et sourit avec effort. Elle ressort
millimètre par millimètre les deux cornières jusqu'à ce que la caisse redescende sur le sol, guidée
par les cordes. Julie et Michel coupent l'émission
et Noelle pousse un cri, prenant son visage entre
ses mains.

— Tu n'as pas mal, au moins ? s'empresse
Madeleine.

— C'est bien pis. Une horrible sensation de
mal de mer... ou de l'air. Il faut que ça se passe.
Un ascenseur qui se décroche puis freine d'un
seul coup, je crois que c'est pareil.

— Mais... est-il nécessaire de se trouver dans
la caisse pour que ça marche ?

— Non. Nous voulions seulement que vous
compreniez immédiatement l'étendue de la découverte. Une : on dégravite n'importe quoi. Y compris le corps humain. Deux : on peut se trouver
sans grand danger à l'intérieur du champ dégravité. Trois : il est possible de contrôler cet effet
en utilisant des masses extérieures à l'action de
la spire. Enfin quatre : après étude, nous avons
conclu qu'il s'agissait non pas de dégravitation
mais d'un effet écran. Quand notre appareillage

est activé, il crée un volume isolé du champ de gravitation universel. Nous conservons notre masse...

Robert Sainval ne dit rien. Il regarde pensivement la jeune femme que Madeleine et Jacques aident à sortir de la caisse. Elle est blême et vacille. Michel lui approche une chaise sur laquelle elle se laisse choir.

— Qu'en penses-tu, Robert ? demande Julie de Corgé avec nervosité, le front plissé. Nous pouvons recommencer cette manip autant que tu le voudras. Petit détail. L'alimentation est de six volts en tout. Nous travaillons avec vingt milliwatts. Etonnant, non ?

— Mes pauvres petits... dans quel guêpier vous êtes-vous fourrés ? murmure le physicien en hochant sa tête aux traits anguleux.

— C'est d'accord. Et nous sommes ici près de toi pour chercher comment éviter les piqûres. Encore faut-il que tu nous aides à sortir une application qui nous permette de conserver le bidule au profit de tous.

— Vous avez entre les mains un levier capable de soulever le monde, commente Madeleine à son tour. Et vous n'êtes que quatre pour le mettre en service partout sur la Terre ? Robert a raison d'avoir peur. Mais... nous allons chercher ensemble une voie possible. Je peux vous l'assurer. En revanche, je suis incapable de dire si nous y parviendrons. Avez-vous encore quelque chose à faire ici, dans le sous-sol ?

— Non... à moins que tu ne veuilles voir le bidule fonctionner pour une autre manip, fait Julie, déconcertée, presque aussi pâle que son amie.

— Par curiosité je dirais oui. Mais ce ne serait pas sage. Nous avons constaté que cela fonctionne. Il va falloir préciser les éléments, affiner les contrôles, établir les lois et pour cela découvrir un laboratoire complet et des moyens qui habituellement ne se trouvent qu'au C.N.R.S... Qu'en penses-tu, Bob ?

— Je cherche... Laissons ces jeunes gens replacer leur matériel en lieu sûr et réunissons-nous au salon.

— C'est ce que j'avais l'intention de proposer.

CHAPITRE III

Ils retrouvèrent le calme dans la pièce de séjour garnie de meubles rustiques, en chêne massif et ce fut Noelle qui relança le problème d'une manière inattendue.

— Avant tout, il faut poser le problème moral. Nous sommes quatre à appartenir au C.N.R.S. Tous chargés de recherche et Julie qui attend sa maîtrise. Ceci voulant dire que l'équipe qu'elle dirige est bien considérée. De ce fait, nous devons admettre que nous détournons ce qui appartient en propre à l'organisme qui nous emploie. Nous nous plaçons donc sciemment en contravention avec la loi, ce qui va augmenter la difficulté de trouver une solution conforme à nos espoirs.

— Sauf si vous présentez le bidule, comme tu l'appelles, à un pays étranger contre paiement, remarqua Madeleine Sainval.

— Jamais. Nous n'avons que deux voies face à nous. La règle et celle que nous voulons suivre. Il faut bien comprendre, Madeleine. Actuellement, le C.N.R.S. travaille sur les champs faibles, aussi bien à Saclay qu'à Orsay et dans d'autres labos, Grenoble et autres. Nous sommes tous sous surveillance et pas seulement des spécialistes de la General Electronic, toujours elle. Il y a aussi les Japonais, qui digèrent mal leur éviction des grands marchés du monde. Hakawa, un copain, pour ne citer que lui, est sur la même série de manips que nous, dans le labo de Pierre Porte. Nous savons pertinemment qu'il appartient à Mitsui Electronic. Nous connaissons l'identité d'au moins trois observateurs attentifs. Ils nous ont invités à des pots sous des prétextes divers et avec Michel et Jacques nous avons monté des pièges simples, le coup du fil invisible. On a fouillé notre labo à plusieurs reprises et des photos ont été faites. Nous savons de même que quelques garçons et filles, charmants et fort intelligents, appartiennent au S.D.E.C.E. ou à la S.M. C'est curieux, quand on ne pense qu'à la manip, on ne s'imagine pas que tout ce qui se fait est ainsi soumis au criblage préalable d'un tas d'intéressés discrets mais encombrants.

— Nous connaissons cela, Noelle, fit observer Robert Sainval. Et... vois-tu, bien que nous n'ayons jamais fait la chose, nous approuvons votre volonté de tenter, pour une fois, d'en faire profiter ceux qui réellement en ont besoin. C'est ainsi que j'interprète votre choix... je ne pense pas me tromper...

— Comme si tu pouvais avoir un doute, murmura Julie, les yeux brillants.

— L'ennui, c'est que nous sommes assez démunis devant des gens capables de court-circuiter les labos et l'Anvar, grommela Jacques Donat.

— Moi, j'ai décidé que cela changerait, déclara

tout net Julie de Corgé en perdant d'un coup son apparence de ravissante poupée rousse. Je ne sais pas si nous réussirons. Par moments, je me demande si j'ai eu raison d'abandonner la foi. Je me dis que cela nous a été confié... Robert, il faut que nous frappions un grand coup en faveur du mondialisme en utilisant l'impact de cette découverte. C'est une occasion inespérée. Jamais, depuis le fond des temps, de tels horizons n'ont été découverts à l'Humanité. Je veux que notre bidule serve celle-ci et non pas les intérêts de la General Electronic ou de ses semblables. Nous l'avons déclaré nôtre pour cette raison, même si d'après nos statuts c'est un vol. Julie de Corgé est une voleuse et s'en fout. Pour moi, le choix est fait.

— Ne t'excite pas, recommanda Madeleine Sainval avec son sourire désarmant. Tu ne voles rien du tout. Tu cherches à protéger une part de notre avenir à tous, de celui de tes enfants et des enfants des autres. Pas de culpabilisation mais de la réflexion. Une chose est de proclamer de grandes idées. Une autre est de réaliser un petit ouvrage...

— Tu es la sagesse, Madeleine. Mais nous ne sommes pas venus sans idées.

— Attends. Permet-moi d'ajouter quelque chose à ce que vient de dire Lon. Ne perdez pas de vue la très vieille légende de la boîte de Pandore qui se répète au cours des siècles. Albert Einstein a très vite compris que l'explosion de la première bombe changerait la face du monde. C'est lui qui avait pourtant entrouvert la boîte et il fut incapable de la refermer. Pas plus qu'Oppenheimer ni les autres grands de l'atome. Rappelons-nous les microprocesseurs. Ils ont conduit aux mini-ordinateurs, lesquels ont permis à la plus formidable multina de tous les temps, la General Electronic, de s'implanter sur la totalité de la surface du globe avec une aisance capable de décourager les contre-espionnages les plus efficaces. Que va-t-il sortir de votre formule d'écran ? Personne ne peut répondre aujourd'hui à une telle question.

— Eh bien !... je ne suis pas d'accord, protesta Julie de Corgé. Je suis sans doute conne, plus idéaliste qu'il n'est permis de l'être, mais je vois naviguer dans l'espace de grands navires interstellaires, comme on nous en montre dans les films de science-fiction, avec des hublots partout, des rayons de lumière cohérente pour les propulser, d'autres pour les guider vers le soleil ou les étoiles. Oui... je les vois partir et chercher à découvrir d'autres humanités dans l'Univers, avec le secret espoir de nous tirer enfin de notre merdier actuel.

— Et moi, enchaîna Noelle, je vois ceux qui construisent ces navires sur des chantiers gigantesques. Des usines s'élèvent autour. Il faut de la matière première et des bras. Le chômage diminue. Les tensions s'affaiblissent et grâce au nouvel idéal qu'apporte le mondialisme, aidé par l'espace, les peuples enfin unis découvrent que l'on peut vivre heureux.

— Il ne faut tout de même pas se monter le bourrichon, estima Jacques Donat. Nous sommes quatre pauvres couillons que les flics peuvent mettre au trou pour vol et recel de matériel appartenant à l'Etat... sans parler d'accusations plus graves telles que détournement de secret industriel ou de nature à nuire à la défense ou aux intérêts du pays...

— Non, Jacques, coupa Robert Sainval avec un geste de dénégation de ses mains osseuses. Si vous envisagez le problème sous cet angle, vous partez perdants et il est préférable de rentrer dans le rang pour reprendre la manip à zéro. Il vous sera loisible de la geler, à moins que vous ne préfériez présenter un compte rendu de nature à faire valoir votre équipe. Inutile de dire qu'en ce cas, je partagerais les craintes de Noelle et Julie. La découverte sera escamotée, bloquée, dispersée ensuite entre quelques labos choisis pour remise en expérimentation et finalement elle ne reparaîtra que plus tard, protégée par de bons et solides brevets mondiaux interdisant à quiconque l'approche même d'un élément du procédé... Inutile de préciser que ces brevets ne seront pas déposés par la France. Il ne faut pas perdre de vue non plus une vieille loi de la recherche, celle des convergences. Ce qui a été découvert, disons accidentellement par Noelle et Julie est en l'air... nous le savons tous. Quelqu'un, quelque part, ailleurs, au Japon, en U.R.S.S. ou en Chine peut arriver au même résultat. Julie précisait que le C.N.R.S. est actuellement excité par les champs faibles... Il y a certainement une raison. Le temps jouera donc contre vous. Tout cela étant, vous n'êtes que quatre, face à une planète où les intérêts égoïstes commandent. C'est l'exacte dimension de votre faiblesse. Face à elle, un geste, une signature bien apposée, une phrase dite au bon endroit peuvent vous apporter une montagne de dollars ou son équivalent en n'importe quelle monnaie sauf la nôtre. Sinon, vous allez avoir à lutter sans un instant de répit pour une victoire terriblement incertaine.

— Tu me fais peur, Robert... Je ne veux pas me dégonfler, abandonner avant le début d'un effort, murmura Julie de Corgé, le visage livide. Nous sommes venus pour être soutenus... tu nous enfonces un peu plus...

— Je t'en prie... ne me fais pas ce procès d'intention. Il serait criminel de ma part de ne pas vous placer devant vos exactes responsabilités. Celles-ci étant bien définies, au besoin en détail, si vous ne craignez pas d'en voir l'étendue, vous décidez en toute liberté. J'approuve la générosité du geste et voudrais y participer. Mais je n'ai pas le droit, moi, retiré de la vie active, de vous pousser dans une voie que je pressens plus que difficile.

— Julie, dis-toi bien que fondamentalement, Bob et moi sommes à ton côté et entièrement d'accord. Mais l'ancien directeur ne peut pas cacher la vérité. Je suis certaine que tu le comprends, fit Madeleine Sainval, penchée vers la jeune femme.

— Je ne poserai pas les mains. Noelle a promis. Michel n'a rien dit mais je sais qu'il sera avec nous. Jacques... aussi. Bon. Nous sommes quatre. Nous avons eu la chance, ou je ne sais quoi, de découvrir ce que cherchent des milliers de bonnes gens dans le monde. Nous voulons que cela serve notre cause, celle du mondialisme, du bonheur des petites gens et non pas la fortune de ceux qui ont déjà pillé la moitié de la Terre. Voici ma position. Je n'en démordrai pas, quoi qu'il arrive.

— Tu ne donnes jamais ton avis, Michel, fit

observer Madeleine, se tournant vers son voisin de gauche.

— J'écoute. Je partage mot pour mot la volonté de Julie.

— En fait, nous sommes tous d'accord, ponctua Noelle Fournier. Cette conversation, nous l'avons eue dix fois, au moins, entre nous, Jacques nous poussant à bout en plaidant contre, bien qu'il soit pour, de manière à mesurer l'étendue des risques. L'ennui, c'est que nous ne savons pas comment nous en tirer pour avoir une toute petite chance face à toutes ces menaces.

— Bien... Laissons provisoirement l'énumération démoralisante des dangers pour envisager une sortie satisfaisante, décida Robert Sainval. Il en est une qui me semble préférable à toutes les autres, pour ne pas dire que c'est la seule envisageable : obtenir un appui au plus haut niveau de l'Etat... Y a-t-il de votre part un refus, a priori, de chercher dans cette direction ?

— Nous avons épuisé les arguments pour et contre... Nous sommes parvenus au même constat Mais aucun d'entre nous quatre n'a la moindre personnalité politique dans la manche. Nous ne faisons pas le poids, regretta Julie.

— As-tu pensé à Zolner ? En tant que président de la Fédération Mondialiste de France, il a ses entrées, suggéra Madeleine Sainval.

— Je ne suis pas certain que notre mouvement puisse nous épauler. Pour plusieurs raisons, dont deux me semblent évidentes, intervint Jacques Donat. En soutenant un projet dont la base est illégale, le mouvement prête le flanc à ses détracteurs et ceux-ci en profitent pour l'écraser une fois pour toutes. En admettant que Zolner, qui est généreux et compréhensif, passe outre, de quels moyens dispose-t-il ? Rien. La parole... le Verbe. C'est énorme pour soulever les masses, pour galvaniser les esprits autour d'un idéal, c'est insuffisant pour apporter de l'argent, des labos, une sécurité, tout ce qu'il faut pour avancer dans nos recherches.

— Je suis tout à fait d'accord avec ton analyse, assura Robert Sainval. Je crois avoir une possibilité... acrobatique, mais qui a la chance d'exister, de franchir ce premier obstacle... Mais auparavant, il faut mettre au point quelques détails. Tout d'abord, donner un nom à votre découverte, au procédé. Ensuite choisir une modalité de démonstration de nature à intéresser, immédiatement, la très haute autorité qui n'aura pas obligatoirement vos connaissances dans ce domaine... Enfin, il faudra être prêts, à chaque instant, à supporter les conséquences, positives ou négatives, de la tentative projetée. Voilà...

— Je commence à renaître, soupira Julie de Corgé avec un timide sourire.

— Eh bien, donne-nous le nom de l'enfant, proposa le physicien.

— Pas du tout pensé à ça, grommela-t-elle, prise de court.

— Facile... Appareil à effet a-gravifique de Julie de Corgé et Noelle Fournier, ce qui doit donner quelque chose comme agravion de Corgé-Fournier..., proposa Michel Viauran avec un rire nerveux.

— Tais-toi, on dirait une marque d'ascenseurs ! protesta Julie.

— Complètement débile, déclara Noelle... J'avais pensé à Antig...

— Ce n'est pas loin de Gitan ou Gitane, remarque Jacques Donat.

— Il faut un nom simple suggérant l'effet constaté. L'annihilation de la seule pesanteur.

— Autrement dit, G... non..., murmura Madeleine Sainval.

— Genon... pourquoi pas ? Genon ! Je suis pour !... s'exclama Julie de Corgé.

— Eh bien, vive le Genon. Nos hommes n'iront pas contre nos volontés.

— D'abord, je ferai remarquer que nous ne sommes pas vos hommes, bien que vous ayez une fâcheuse tendance à vous approprier nos personnes, ronchonna Jacques Donat en affectant une mauvaise humeur qu'il était loin de ressentir. Et puis ensuite... eh bien, nous sommes d'accord.

— Je peux poursuivre ? demanda Julie en levant la main, ses taches de rousseur revenant en force sur ses pommettes roses.

— Tu le feras même si nous refusons, alors vas-y !

— De notre conversation il résulte que nous souhaitons que le Genon soit mondialiste et pour y parvenir nous estimons qu'il doit passer par le stade de la francisation. Nous avons écarté la pluie de dollars et les doctorats qui nous attendent dans les Universités des Etats-Unis ou d'ailleurs. Nous ne serons jamais conseillers à vie d'I.B.M. ni de la General Electronic. Nous nous privons des villas avec piscine sur la côte californienne ou des datchas sur la mer Noire... Nous restons français...

— Impossible de faire autrement, Julie, commenta brièvement Robert Sainval.

— Je voudrais faire quelques remarques complémentaires, proposa Michel Viauran pour la première fois. Nous ignorons tout ou presque du mode de fonctionnement du Genon. Nous déduisons qu'il s'applique à tous les corps mais nous sommes incapables de fixer ses limites. Nous allons devoir en cerner les contours de telle manière qu'il soit protégé aussi longtemps que nous n'aurons pas réussi à en faire profiter le peuple, la foule, les honnêtes gens, les jeunes... Nous devrons pouvoir être certains que les militaires ne mettront pas la main dessus sous prétexte de défense nationale, que les multinas ne pourront le développer puis s'en réserver l'exclusivité, que ceux qui accepteront de nous protéger voudront bien y mettre le prix, en auront les moyens et sauront s'y prendre. Ceci n'est pas impossible mais sera probablement difficile. Crois-tu qu'en France, aujourd'hui, en cette fin de siècle de misère, nous trouverons les appuis requis, Robert ?

— Nous essaierons. Et je crois avoir une possibilité de toucher le Pouvoir très près de son sommet. En cas d'échec, il restera la solution C.N.R.S. ou la prise de brevets à titre privé. Ce sera à étudier.

— Robert... Nous sommes venus pour que tu nous aides. Il nous faut l'appui de l'Etat, dans la discrétion la plus totale... Que devons-nous faire au point où nous en sommes ? demanda Julie de Corgé.

— Continuer à réfléchir ensemble. Choisir une application susceptible d'intéresser en haut lieu.

— J'ai une proposition à faire à ce sujet...

CHAPITRE IV

— Avez-vous suivi les dix minutes TV consa-
crées au nouveau supersonique Bœing ?

— Effectivement, j'ai d'ailleurs fait remarquer
à Bob que le constructeur savait dépenser pour
sa publicité, répondit Madeleine Sainval.

— C'est la cinquième émission sur la question,
souligna Jacques Donat.

— Je n'ai pas regardé les quatre précédentes.
Mais la vue de ce monstre m'a rappelé que nous
avons mis à la ferraille, voici trois ou quatre ans,
nos supersoniques... pour des raisons que je n'ai
pas très bien comprises.

— De toute façon, cette machine n'aurait
jamais dû voir le jour, bougonna Jacques Donat.
Un des plus beaux exemples de scandales du
règne de la droite dans notre pays ! Des milliards dépensés sur le dos de pauvres cons pour
permettre à des nantis et des puissants d'aller
boire un pot à New York à midi et de déguster
leur whisky à Paris le soir même.

— Il est heureux que nous te connaissions et

que nous sachions tous que tu râles, par principe, pour tout et contre tout, observa Julie de Corgé. J'ai eu envie de savoir un peu plus de détails sur ce Concorde... J'ai ainsi appris des choses intéressantes. Par exemple, qu'il fut en avance de trente années dans sa conception et de plus de vingt dans sa réalisation. A preuve, le S.S.T. de Bœing qui n'a pas encore pointé son museau hors de son hangar. Ne parlons pas des Tupolev, personne ne sait où ils en sont. Tantôt ils vont faire le tour du monde tantôt ils sont abandonnés. Le type qui a écrit le bouquin que j'ai lu s'appelle Naqua... Non... enfin un nom comme ça... Parca... Trica...

— Turcat, corrigea doucement Madeleine.

— C'est bien ça ! Tu sais toujours tout... Le Concorde fut une machine étonnante, venue trop tôt dans une France et une Angleterre vieillies, pour ne pas dire décrépies et bien incapables de s'allier solidement. Leur faux ménage ne dura que le temps de découvrir que décidément les Britanniques devaient demeurer des îliens. J'ai relevé, dans le livre, l'étendue de la saloperie fondamentale des multinas, par essence américaines, dans cette affaire. Le barrage qu'elles ont dressé devant notre supersonique fut un des coups les plus salauds, les plus infects, les plus cyniques de l'époque. Et le retrait prématuré de la machine est encore dû à une manœuvre des mêmes, afin de faire place nette à leur S.S.T. Prétexte, usure par ultrasons, par rayonnement, crainte de criques, de fêlures et je ne sais quoi encore. Les deux gouvernements n'ont été que trop contents de pouvoir remiser définitivement les quatorze

Concorde restants qui, il faut bien le dire, revenaient très cher... Cela remonte à...

— Trois ans et quelques mois..., murmura Madeleine Sainval.

— Je commence à comprendre où tu veux en venir, fit Jacques Donat, attentif.

— Il est temps. Les Amerloques vont sortir le successeur de notre cigogne blanche et proclament déjà, comme nous l'avons vu, que le S.S.T. possède toutes les qualités qui auraient manqué au Concorde. Il ne détruira pas la couche d'ozone, sera plus silencieux qu'un Airbus, consommera moins de kérosène par kilomètre-passager, mais évidemment coûtera trois à quatre fois le prix jugé exorbitant de son ancêtre. Peu importe, le moderne fera oublier l'ancien. Finie la primauté française en ce domaine comme en tous les autres. Une épine de moins dans les pieds sales de l'Oncle Sam.

— Vas-y... bouffe-z'y la rate ! s'exclama Jacques avec un rire.

— Parfaitement ! Je prétends que si nous avions affaire à quelqu'un de très compréhensif et de très haut placé, nous devrions le convaincre de foutre un bordel épouvantable dans les projets américains en démontrant l'hérésie qu'il y a à lancer un engin à six réacteurs énormes qui vont avaler en une seule traversée de l'Atlantique ce que consommera en une semaine la flotte de bus de Paris. Qu'en penses-tu, Robert ?

— Pour le moment, si je ne prends que le côté passionnel et publicitaire, l'idée est excellente, murmura Robert Sainval en se frottant le nez, sourcils froncés. Mais les obstacles sont de taille.

Existe-t-il encore un exemplaire entier de ces machines ?

— Oui... Pour une raison floue, mais il semble que les militaires aient pensé, à un moment quelconque, à les transformer en porteurs de bombes H. Cela ne s'est pas fait, mais les Concorde sont comme qui dirait sous cocon.

— Tu t'es renseignée ?

— C'est dans le livre, un addendum.

— Second problème, est-il possible d'adapter le Genon à un appareil de ce type, très complexe ?

— Nous ne le saurons qu'en essayant, c'est juste... Mais il doit rester des ingénieurs compétents... Et si je n'ai jamais fait d'aérodynamique, j'ai retenu que 70 pour 100 de la puissance installée sur un aéronef sert à vaincre la seule pesanteur. Le reste est destiné à la propulsion. En partant de cette simple constatation, il est permis d'imaginer des tas de choses. La réduction de poids diminue la portance nécessaire, donc la traînée induite, ce qui permet de réduire la puissance installée, donc d'augmenter considérablement l'autonomie sans affecter, théoriquement, la vitesse.

— Pour quelqu'un qui n'a jamais fait d'aérodynamique tu me sembles documentée.

— J'ai... un peu étudié... pour voir. J'ai découvert que Concorde possède une aile très spéciale et sans évidemment prétendre que j'ai raison, il serait possible que très allégé, notre supersonique soi-disant démodé, gagne des qualités nouvelles.

— Sais-tu que ton idée est séduisante ! s'exclama Madeleine Sainval.

— Elle me plairait plus si elle était moins rétro, pour ne pas dire vachement réac, déclara Jacques

Donat. Nous paraissons plus cocardiers que le Président de la République qui a déclaré, voici peu, que la France, peuple cartésien, n'avait pas le droit de jouer à la roulette les moyens de son avenir. Souvenons-nous bien de la réalité, Concorde est un échec scandaleux.

— Tu exagères et c'est dommage, murmura Noelle Fournier. Pourquoi refuser d'utiliser cette formidable plate-forme de lancement ? Parce qu'elle est française ?

— Elle n'est pas française mais anglo-française ou l'inverse, selon le côté de la Manche. Mais unanimement exécrée par les contribuables des deux pays.

— C'est faux ! s'exclama Julie.

— Et puis, les Anglais, je les emmerde ! déclara tout à trac Noelle, soudain furieuse. Ils ont tout largué, y compris leurs amarres avec l'Europe. Ils veulent crever sur leur île de merde après une révolution grotesque qui a substitué un pantin sans ancêtres à des fantoches avec aïeux certifiés. Qu'ils crèvent et qu'on n'en parle plus !

— Je ne te savais pas aussi anglophobe.

— Je le suis parce que tu nous emmerdes avec tes rappels. C'est peut-être con, cocardier, tout ce qu'on voudra, mais pour moi Concorde est français. Il a défendu magnifiquement nos couleurs, même si dans son nom il y a tout pour porter la poisse... Con et corde... Cela ne m'empêche pas d'être farouchement mondialiste, ma raison me disant que si les hommes ne s'unissent pas, c'est la fin de l'espèce. Je ne suis pas obligée pour ça de vouloir coucher avec tout le monde ! Le groupe mondialiste anglais s'est retiré de la Fédération jugée insuffisamment ouverte aux par-

ticularismes britanniques. Autrement dit, vive
l'union des peuples s'identifiant à celui de la
Grande-Bretagne ! Pauvres cons ! Mais... je ne sais
pas pourquoi je râle comme ça... je vous demande
pardon...

— Ma faute, fit Jacques Donat entre ses dents.

— Parfaitement, grinça-t-elle, le front baissé.

— Sérions les problèmes, proposa uniment
Robert Sainval. L'unanimité est-elle faite autour
de l'idée de Julie ?

— Evidemment, acquiesça Jacques, le premier.

— Sûr, souffla Noelle.

— Toi, Michel ?

— Oh moi... j'approuve.

— Plus je réfléchis et plus je crois qu'il y a
matière à intéresser la personne que j'espère
contacter. Nous avons tout de même quelques
vieux amis et Lon m'a fort judicieusement rappelé, voici peu, une amie fidèle. Comme pourrait
le supposer Jacques, elle est réac, imbue de la
vieille idée de la France, terre de l'esprit, la France
des records, celle des anciens rois et de Vercin-
gétorix, des philosophes, de la fusion au laser et,
pourquoi pas, du Concorde. Par elle, je peux espérer une ouverture, directe et très discrète, à l'un
des sommets de notre hiérarchie. Si j'échoue... eh
bien, nous reverrons la question. Jusque-là, je
vous conseille prudence et réflexion.

CHAPITRE V

Dimanche soir. Dernier train pour Paris. Compartiment enfumé. Les quatre amis sont silencieux. Noelle est assise contre Jacques, dans un angle, le dos à la marche et ne bronche pas, ses yeux noirs s'ouvrant de temps à autre pour capter une vision qu'elle emprisonne sous ses paupières aux très longs cils.

Face à elle, Julie rêve, mais les iris verts sont invisibles. A son côté, Michel trompe sa frustration, sa peine, ses regrets, de n'avoir pas su oser aujourd'hui plus qu'hier ou que les jours précédents. Il calcule, en tripotant la petite machine électronique incorporée à son bracelet de chrono. Un véritable ordinateur miniature dont il tire fréquemment des merveilles, mais qui refuse cette fois d'entrer dans le jeu.

Autour d'eux c'est le vacarme des retours. Les gares surgissent de la nuit et s'immobilisent après avoir fait défiler quelques panneaux portant leurs noms en bleu sur fond blanc, inchangés depuis des générations. Les horloges sont identiques, tout comme les casquettes des fonctionnaires de la compagnie nationale. Les usagers, en troupeau, embarquent sans enthousiasme, se pressent dans les couloirs, enjambant bagages ou corps entassés.

Julie rêve d'une immense flèche blanche devenue impondérable et traçant un sillage autour de la Terre qui prend l'allure de Saturne avec son anneau. Ridicule ! Les yeux verts s'ouvrent. Noelle a la tête appuyée contre l'épaule de Jacques qui semble très grave. Les pommettes de la jeune femme sont un peu trop roses et elle ne dort pas, c'est certain. Elle murmure. Jacques écoute, entend et de temps à autre répond tout bas. Leurs **mains...**

Julie referme les yeux. Noelle et Jacques ! Marrant. Mais après tout, pourquoi pas ? Ils n'ont jamais été aussi chien et chat que ces trois jours. Quelle meilleure défense, pour un timide, que l'agressivité ? Même si la tradition veut que sans **les blouses blanches,** les couples de la recherche soient incapables de demeurer plus d'un mois ensemble.

Jacques est aussi intelligent qu'il est chiant par ses prises de position. Mondialisme d'abord ! Mondialisme ? Soit, mais tout de même pas dans le lit. Il ne donne pas l'impression de pouvoir se libérer de son carcan. Bah ! Noelle en saura sans doute un peu plus sur la question d'ici peu. Le principal, c'est qu'ils soient heureux. Toujours ça de pris.

Michel ! Tu remues à peine... On dirait que tu as peur... Ballot, va ! Belles mains, quand même. Triture sa calculette. Equations... Chiffres... Concorde... Genon...

La gare. La cohue. Ils se séparent en deux cou-

ples. Jacques et Noelle s'éloignent, l'un contre
l'autre, à pas lents, sous le regard un peu absent
de Michel. Ce n'est que dans le métro qu'il semble découvrir quelque chose qui l'a frappé.

— Dis... Jacques et Noelle... on dirait...

— Pour moi, on ne dirait pas, ils ont sans doute
des impressions à échanger.

— Ah bon ! Tu étais au courant ?

— C'est leur problème, Michel.

C'est tout. On ne parle évidemment pas du
Genon dans le métro. Palais-Royal. Michel sort de
sa rêverie et regarde Julie qui sourit. Il a l'air
triste et perdu, comme fréquemment. Elle hésite.
Il salue de la main avec une ébauche de sourire.

— A demain, au labo.

— C'est ça, à demain.

Voilà ! Trop tard. Foutu. Bête ! Sûr qu'il ne
demandait qu'à rester pour cinq minutes, une
heure, une nuit... Mais jamais il n'osera. Jacques,
lui, n'a pas ce genre d'hésitations. Plus d'une fois
il a risqué la petite phrase, la grosse allusion.
Michel, jamais. Et pourtant il est gai, charmant,
quand il est libéré ou qu'il oublie. Drôle de n'avoir
jamais pensé à lui comme possible.

Mais tout est tellement bouleversé par le Genon
que ce qui était caché doit paraître. Noelle est
la moins conne. Elle va profiter de chaque
moment du temps. D'accord, elle disait en avoir
assez de la grogne de Jacques, mais pour elle
comme pour lui, c'était le masque, la frime.

Faut-il que je sois bête ! J'allais louper la station. Opéra !

Andouille ! Obsédé ! Se croit malin ! La main
aux fesses ! Connaissent que ça, ces frocs secs !

On ne pourra plus prendre le métro sans caleçons blindés si ça continue.

Les yeux verts étincellent encore lorsque Julie sort de la dernière station, devant l'éternel Printemps privé de ses lumières par la crise de l'énergie et l'heure tardive. Curieux magasin que les émirs ont laissé dans sa robe de toujours. On ignore comment ils s'y prennent, mais il semble qu'ils gagnent encore de l'argent.

Julie se presse. Elle n'aime pas tellement traîner en culotte courte et sac à dos, encore que la faune ancienne du quartier ait pratiquement disparu. Ce n'est pas crise de moralité mais transfert d'intérêts ainsi qu'efficacité des hirondelles retrouvées.

La porte. Serrure emmerdante, comme toujours !

Pas de courrier... Bien sûr, un dimanche soir. Escalier à toute allure. Couloir ; studio ; porte refermée ; verrous à double tour. Ouf !

Michel !

Je me demande bien pourquoi je pense à toi en ce moment ?

Genon de Genon !

De la musique. Oui, de la musique, vite... pour changer un peu ces idées tordues... Il a le téléphone, Michel... Aura pas idée d'appeler, trop peur... Idiot quand même de tout gâcher par amour-propre ! Même pas bien placé.

Six... quatre... sept... Et puis non. De quoi aurais-je l'air ? Une pute en chaleur... Du calme, ma cocotte. Préparer un petit dîner rapide, écouter la musique, lire et se remettre les idées en place... Peut-être bien dormir... Où ai-je la tête ?...

Dîner... Passé une heure du matin ! J'ai faim. Tant pis, on se fout de la ligne.

Julie de Corgé se sent excitée et moite comme avant l'amour et n'a qu'une ressource, prendre rageusement une douche, se sécher, se parfumer, oublier le dîner, prendre un bloc et un stylo puis s'allonger pour noter quelques indications sur les événements de ces trois jours... Pas question du Genon mais par exemple que Noelle et Jacques semblent avoir enfin choisi et qu'elle-même...

Elle se réveille au milieu de la nuit, ou du matin, toute nue sur son lit, le stylo toujours dans la main droite. Le bloc a glissé entre ses jambes.

Soupir. Drap rassurant. Couverture douillette. Sourire dans le vague. Michel ! Je te promets. Je t'assure que si tu te décides, je ne te ferai pas attendre. C'est trop idiot ! Juré... main sur le cœur... entre deux petits seins très ronds qui s'ennuient.

CHAPITRE VI

Robert Sainval s'est levé à l'aube. Il a très peu dormi. Il tourne dans le verger, les bottes trempées par la rosée. Madeleine s'est levée trois fois dans la nuit pour dompter son propre énervement, elle, la calme. Plus enthousiaste encore que Julie !

Les premières feuilles hésitent entre le jaune, l'argent, le vert tendre et le rouge. Les bourgeons éclatent les uns après les autres. Depuis le bois qui effleure le Rû sur son autre rive, les odeurs montent, mélange du parfum des fleurs qui s'ouvrent, de la sève qui s'épanche, de l'humus qui fermente.

Oui, Robert Sainval, chercheur en retraite, dont la vie s'est écoulée dans une honorable médiocrité, ainsi qu'il le reconnaît honnêtement, ne tient plus en place. Et cependant il lutte de toute son intelligence contre cette émotivité inhabituelle, contre la peur de décevoir aussi bien que contre le trop grand espoir et les illusions. Rien n'y fait.

Premier rayon de soleil. Il frappe un tapis de violettes, contre les noisetiers aux chatons pendouillants. Le vieil homme se penche, regarde et ses doigts qui n'ont pas encore tremblé saisissent quelques fleurs, tandis qu'à son habitude il s'excuse auprès de la plante pour la meurtrissure qu'il lui inflige. Dix fleurs fragiles, pas une de plus. Deux feuilles rondes pour les mettre en valeur et le physicien remonte, tête basse, regardant ce qu'il appelle la parole donnée aux végétaux. Terrasse, escalier, entrée. Il abandonne ses bottes et en chaussettes s'en va à la recherche de Madeleine.

Elle est assise devant la baie vitrée de la salle de séjour. C'est tellement inattendu, à une heure aussi matinale, qu'il s'en effraie et s'empresse vers elle.

— Lon ! murmure-t-il.

Elle le regarde, surprise dans son rêve éveillé et sourit en tendant la main. En cet instant précis, ils n'ont plus d'âge. Ils refont et viennent de s'en rendre compte, un geste exécuté près de cinquante années plus tôt, qui a lié les doigts d'un grand imbécile peureux et d'une ravissante petite blonde, plus délurée que lui.

— Tu ne te sens pas bien ? s'inquiète-t-il.

— Oh si ! Maintenant, je me sens pousser des ailes ! s'exclame-t-elle en se levant, tenant les précieuses petites fleurs contre son visage.

Oui, les gestes d'antan. Seule la teinte des cheveux a changé... un peu, à peine. Elle embrasse le bonhomme qu'elle a accompagné dans la vie sans cesser de s'en féliciter.

— Attends, je les place tout de suite dans leur vase.

Quand elle revient, Robert Sainval, mains dans le dos, regarde le verger ensoleillé et les nuages légers, tout blancs.

— Pourvu qu'ils arrivent de bonne heure ! fait-il en l'entendant approcher.

— Le train vient tout juste d'entrer en gare. Donne-leur le temps de monter.

— Je me demande si nous ne commettons pas une erreur en nous fiant à la parole de Carré. Il est Premier ministre. L'intérêt du pays passe avant le reste, parole comprise. De plus, c'est un politicien chevronné.

— C'est également un homme, un socialiste et un Français, souligne Madeleine. Au poste qu'il occupe depuis pas mal de temps, il connaît les problèmes à leur véritable échelle, celle du pays, de l'Europe et du Monde.

— Je ne cesse de me le répéter et j'ai peur.

— La décision prise, Bob, on doit marcher vers l'objectif en franchissant les obstacles à mesure qu'ils se présentent. C'est une des vieilles lois de l'action. Elle n'interdit pas d'aménager des itinéraires évitant les principaux dangers.

— Tu as raison. Mais ce n'est pas pour moi que j'ai peur. Pense à nos jeunes. Ils sont dans l'euphorie. Moment terrible des illusions. Ce qu'ils ont découvert est tellement immense ! Hors de proportion avec leurs personnes, leur état, leur fonction.

— Je ne suis pas du tout d'accord. M. Einstein était un gratte-papier inconnu avant de devenir qui nous savons. La bande des quatre, ou peut-être pourrons-nous dire un jour ces deux couple de jeunes, peuvent marquer l'avenir de l'espèce. J'y crois, moi, aux navires des étoiles.

J'ai toujours cru qu'un jour, quelqu'un... J'aurais
aimé être cette personne... Il faut avoir confiance.
On n'écrase pas six personnes d'un coup. Le principal est que cette visite puisse avoir lieu. Quand
les quatre seront sur les rails, sois tranquille,
ils suivront la voie. Bob, mon chéri, ces violettes
embaument, les sens-tu ?

— Oui... dans leur rayon de soleil elles
avaient... Je ne sais comment dire...

— Un demi-siècle de moins. C'est aussi simple
que ça. Un demi-siècle et capables de découvrir
l'un par l'autre le même parfum et la même
image ! Bob... Ah ! tu vas être mon grand bonhomme ! Les voilà !

Ils sont en effet tous les quatre sur le perron,
avec leurs sacs à dos, leurs cabas de grosse toile.
Les fronts sont couverts de sueur et les regards
un peu inquiets. Les yeux quémandent. Ils se
débarrassent de leurs charges dans la cuisine et
reviennent dans le séjour.

— Comme je vous l'ai annoncé, c'est pour dans
huit jours, le dimanche. Chez le Premier ministre
en personne. On ne s'occupe de rien que de prévoir la manip. C'est de la qualité de celle-ci que
nous devrions discuter immédiatement. Il est
indispensable de frapper l'esprit d'un homme
intelligent, pragmatique, cynique, dont le temps
est précieux. Il doit comprendre immédiatement
la portée de la découverte. C'est une brute de
travail supérieurement douée sur le plan du cerveau. Un ordinateur vivant. Une mémoire d'éléphant. Ses chefs de cabinet en savent quelque
chose. Sa qualité d'homme de gauche ne nous
aidera en rien. Ce qu'on peut assurer, en revanche, c'est qu'il est neutre envers le mondialisme.

Donc, pas hostile. Je tiens toutes ces informations de mon amie Lucienne. Si Carré juge le Genon exploitable dans le contexte actuel, tous les espoirs sont permis, même les plus insensés. Dans le cas contraire, il n'y aura rien. Pas de milieu ni de demi-mesure. La conjoncture ne s'y prête pas. On comptait, ce matin, 2 850 000 chômeurs dans le seul hexagone et plus de douze millions en Europe. Depuis longtemps, selon Lucienne, le point d'explosion est dépassé. Il suffirait d'un rien pour que tout saute et que le chaos s'installe.

— Etant de gauche, il doit pouvoir juger de l'intérêt social de notre Genon, estime Jacques Donat.

— Je me demande si à cet échelon, l'appartenance à une entité politique joue un bien grand rôle ? Il me semble que la raison d'Etat prime le reste. Je peux me tromper, bien sûr.

— Bob, si nous discutions paisiblement devant notre petit déjeuner ? demande Madeleine.

On ne refuse rien à Lon et à ses yeux bleus qui sourient. Les trois femmes disparaissent dans la cuisine où elles déballent ce qui a été amené de Paris par les quatre. Une règle non écrite, jamais oubliée. On vient passer le temps qu'on veut mais on apporte son boire et son manger. On n'a jamais rien demandé d'un côté ni déclaré de l'autre que c'était inutile. C'est dans la logique de l'amitié.

Le petit déjeuner sera pris dans la salle de séjour, discrétion oblige. Entre deux gorgées ou deux bouchées, les propositions fusent. Tout y passe. Ce qui peut sembler raisonnable et même ce qui ne l'est plus du tout. Michel aimerait soulever une locomotive et lui faire effectuer un demi-tour. Jacques va jusqu'à imaginer une péniche enfoncée jusqu'au plat-bord et sortant de l'eau jusqu'à la quille. Noelle reste dans le concret. Elle imagine d'installer le Genon dans une des voitures de l'homme d'Etat, pour lui faire goûter de la non-gravité.

C'est finalement Julie qui offre une solution simple, facile à mettre en œuvre.

— Vous savez, fait-elle remarquer, je crois que le père Carré est un homme comme les autres. Intelligent, probablement sensible, même s'il a appris à le cacher. S'il voit l'une d'entre nous, ou mieux les deux, dans une caisse un peu aménagée, bien sanglées et flottant ou tournant à la broche, sans aucun support, cela devrait être physiquement impressionnant. D'accord, on pourrait soulever la tour Eiffel, pendant qu'on y est. Ce serait un sacré truc pour la foule, mais pas pour un type comme lui. Il ne devrait pas avoir besoin de ça pour développer l'idée à partir d'une réalité palpable.

— Je serais assez portée à suivre cette proposition, assure Madeleine.

— Et j'ajouterai que pour faire une impression plus... satisfaisante, nous pourrons, Noelle et moi, choisir une tenue de circonstance. Je nous vois très bien... jupettes de superbi, plissées, pour l'effet psychologique.

— C'est ça. Tu penses que le Premier ministre sera plus intéressé par tes cuisses que par l'effet Genon ! s'exclama Jacques.

— Eh bien... je le pense un peu, moi, en effet, accorde Madeleine en se mettant à rire. Je crois beaucoup à l'intuition féminine. Laissez donc ces jeunes femmes choisir leur tenue et pensez que même un grand homme peut avoir besoin d'un rayon de soleil dans sa vie. Il me semble que Carré est déjà grand-père, mais il est tout de même relativement jeune.

— Adopté, décide Noelle avec confiance. Et faisnous confiance, nous serons très correctes avec nos mignonnes petites culottes bordées de dentelle.

CHAPITRE VII

La propriété personnelle du Premier ministre dans la vallée de la Daulne ne casse rien, remarquera Noelle à l'oreille de Julie. Une maison à un étage et colombage. Demeure bourgeoise d'il y a une cinquantaine d'années. Propre, nette, sans fantaisie. Un parc de très beaux arbres assurant une discrétion presque absolue que complète l'action d'un service d'ordre invisible mais actif.

Présentations. Le Premier ministre est marié, père et grand-père. L'épouse est jeune de silhouette en dépit de cheveux qui grisonnent et des pattes d'oie qui se plissent pour adoucir le regard un peu trop autoritaire... ou méprisant. Il existe aussi un chien, tout ce qu'il y a de bâtard, qui remue la queue, renifle, flaire, souffle et se roule avec bonheur sur le gazon mi-long, comme la plupart de ses semblables en des circonstances identiques.

Robert Sainval est venu en costume vieillot, velours côtelé, pantalon étroit et grosses chaussures graissées. Madeleine porte une jupe de

3

lainage gris sur sa minceur et une veste de chasse
beige qui lui confère une silhouette juvénile.
Julie et Noelle ont tenu parole. Elles sont en
jupes blanches plissées très courtes, comme
aiment à les porter les jeunes sportives du
moment et sont fort agréables à voir. Les sou-
liers bas pour superbi sont très gais. Corsage
fermé, rouge vif pour Noelle la brune, lilas pour
Julie la rousse. Cheveux courts au vent. Jacques
et Michel ont adopté la tenue sportive également.
Salopettes, bottes souples beiges et col roulé.

L'accueil a été simple. La pipe d'Arsène Carré
existe bien et n'est pas un objet destiné à offrir
une publicité gratuite au S.E.I.T.A. Elle fume à
courtes volutes diaphanes. Les yeux noirs, sous
les épais sourcils, ont détaillé chaque visiteur. Le
visage est demeuré de bois, massif, après le
sourire-rictus. Lucienne Le Forestier est là. Amie
en même temps que collaboratrice très proche
du Premier ministre, elle est visiblement mal à
l'aise et demeure discrètement à l'écart. Petit
aparté entre l'homme d'Etat et le physicien,
durant le temps que deux hommes calmes, aux
larges épaules, amènent la caisse sous sa housse
de toile maintenue par des ficelles.

Michel et Jacques s'affairent pour dégager la
caisse de cette housse. Julie et Noelle serrées
l'une contre l'autre, cramponnant leur petit sac
de toile contenant les émetteurs Genon attendent,
inquiètes, se mordillant les lèvres. La femme du
Premier ministre regarde, un peu ahurie puis
réprobatrice et enfin méprisante, la caisse nue et
vide, à l'exception de deux coussins gris attachés
par des cordes et les quatre longs brins d'une
autre corde, toute neuve celle-là, que les deux

hommes disposent à chaque extrémité de la caisse.

Madeleine Sainval sourit silencieusement et va retrouver Lucienne Le Forestier qu'elle rassure d'un regard appuyé. Le Premier ministre revient avec le physicien. Il paraît nettement renfrogné. Ses petits yeux noirs se sont plissés. Son visage rappelle beaucoup plus le mufle d'un bouledogue que la face d'un papa gâteau. Il balance, indiscutablement, entre la curiosité et la colère et regarde à tour de rôle les deux jeunes femmes, blanches de peur et les hommes qui attendent, sérieux, graves, angoissés.

— Nous sommes prêts, monsieur le Premier ministre, annonce Robert Sainval qui est le plus détendu de tous.

— Prêts à quoi, monsieur Sainval ? demande Arsène Carré en arrachant sa pipe de sa bouche après une bouffée rageuse.

— A vous présenter la découverte française la plus extraordinaire depuis le début de l'humanité.

— Rien que ça ! ne peut s'empêcher de grogner l'homme qui gère les destinées de la France.

— Vous allez pouvoir en juger. Noelle, Julie, si vous le voulez bien, présentez à M. le Premier ministre un des aspects du Genon, votre invention.

Elles s'animent comme des automates. Enjambent la caisse, s'y installent face à face et les jupes courtes découvrent évidemment très haut des cuisses jeunes, fermes et dorées. Les culottes bordées de dentelle sont charmantes. Il suffit de voir le regard furibond de la femme du Premier ministre pour s'en assurer. Les hommes fixent avec soin les bretelles de grosse toile puis la ceinture à large boucle maintenant les épaules. Pas un mot n'est échangé mais la sueur perle au front de chacun. Elles sortent discrètement les récepteurs des sacs, les placent entre leurs jambes sur le fond de la caisse et les attachent. Jacques et Michel tendent les cornières d'acier portant les repères, blancs et rouges. Elles sont placées devant Julie qui les passe dans les boucles de corde analogues à celles qui retiennent les avirons sur les anciennes chaloupes.

Les deux hommes s'éloignent et saisissent les cordes de maintien, s'écartant à deux bons mètres de la caisse.

— Monsieur le Premier ministre, chacune de ces jeunes femmes pèse environ cinquante kilos. La caisse, petit équipement compris, avec ses passagères, doit approcher les cent quinze kilos. Veuillez observer ce qui va se passer.

Julie et Noelle sont devenues blanches et luttent visiblement contre leur malaise, dents serrées, les yeux mi-clos. Michel et Jacques reculent d'un demi-pas et tendent imperceptiblement les cordes. La caisse s'élève comme un vulgaire ballon d'enfant et les deux hommes corrigent ses oscillations par de brèves et insensibles tractions.

Le Premier ministre grogne et retire sa pipe de sa bouche. La tête dans les épaules, plus renfrogné que jamais, il fait le tour de la caisse en équilibre instable, les cordes lâches formant une sorte de lest, et regarde le physicien qui demeure impassible, très grave.

— Alors ? aboie-t-il.

— Regardez, maintenant...

Jacques et Michel impriment un lent mouvement de rotation à la caisse à l'aide des cordes.

Tête en bas, en haut, en bas encore, les deux femmes dominent leur mal de mer, grimaçantes et s'imposent de saluer de la main, comme au cirque.

Le physicien convie le chef du gouvernement à venir voir de plus près. Jacques et Michel ont tendu les cordes, retenant la caisse à hauteur du ventre d'Arsène Carré. Les cornières, exactement réglées, assurent l'équilibre gravifique.

— Souhaitez-vous tenir vous-même ces cordes ? suggère Robert Sainval à mi-voix. Michel Viauran va la retenir en équilibre. Vous constaterez en la mouvant qu'elle ne pèse strictement rien, mais qu'en revanche elle a conservé toute son inertie. Le Genon est un émetteur de champ écran. Ces jeunes personnes se trouvent à l'intérieur d'une sorte de bulle invisible dans laquelle la gravitation ne peut se faire sentir.

— Montrez, fait la voix redevenue claire et précise, malgré la pipe qui fume furieusement.

Un peu voûté, les mains derrière le dos, le physicien et les trois spectatrices, muettes, entre la surprise et l'inquiétude, contemplent le spectacle peu banal d'un chef de gouvernement jouant avec un sérieux de bon élève, à donner des impulsions contrôlées à l'aide des cordes. Ce n'est pas chose aisée mais il y parvient et recule, tirant ou relâchant sa traction pour entraîner le curieux véhicule qui paraît flotter.

Il lâche enfin les cordes que Jacques reprend. Julie ressort les cornières avec précaution et la caisse touche l'herbe. Quand Noelle coupe l'émission U.H.F., toutes deux portent les mains à leurs tempes pour lutter contre le vertige et le **Premier** ministre se précipite pour les aider à sortir de leur situation inconfortable.

— Mesdames, je vous dois des excuses. J'ai cru, jusqu'à la dernière seconde, à une plaisanterie... Publicité ou pari d'étudiants... J'eus accepté. Il faut que la jeunesse puisse rire, même au détriment d'un chef de gouvernement. Mais il n'est pas question de plaisanterie. Sans être un scientifique, je connais la loi d'universalité du champ de gravitation. Et vous êtes toutes deux les responsables de cette étonnante découverte, avec vos camarades de groupe de recherche. M. Sainval m'a en outre expliqué qu'il était affreusement désagréable de se trouver, sans un entraînement spécial, dans cette caisse en effet d'apesanteur. Eh bien, si vous le voulez, nous allons parler un peu de tout ceci en vous donnant par la même occasion de quoi vous remettre l'estomac en place.

Il n'est plus le gros type pas très marrant et même inquiétant, mais le patron qui réfléchit, avec en tête une fantastique accumulation de données. Des équations à mille inconnues et plus. Et quand, dans le salon confortable, toutes portes et fenêtres closes, il reprend la parole, c'est pour demander brutalement :

— Qu'espérez-vous faire exactement avec cela ?

— Ainsi que j'ai eu l'honneur de vous en faire part, monsieur le Premier ministre, je ne désire pas intervenir dans la suite de la conversation, déclare Robert Sainval avec gravité. Mais à l'avance j'approuve toutes les prises de positions ou propositions de ces jeunes gens. Julie de Corgé sera probablement leur porte-parole, étant responsable de leurs travaux.

Les yeux verts s'affolent un instant. Le regard brillant croise celui de Michel, calme, concentré. C'est bref mais suffisant pour que la voix de Julie soit posée.

— Voici... Un champ écran a ceci de particulier qu'il isole ce qu'il englobe de tous les effets de la gravité... dans ce cas précis. L'application qui vient à l'esprit ne peut donc concerner que l'aéronautique et l'astronautique. Par la suite, d'autres utilisations seront sans doute proposées. Compte tenu de la nécessité de sortir, dès que possible, cette découverte sous les couleurs françaises mais dans un contexte mondialiste, universel, nous avons choisi une présentation susceptible de frapper les foules, pas seulement chez nous mais sur la planète entière, avec, croyons-nous, les plus grandes chances de succès en peu de temps. Mais évidemment, pour cela, nous avons besoin d'une aide loyale, entière, aussi discrètement que possible, des organismes spécialisés de l'Etat ou de l'entreprise aéronautique que l'Etat désignera et couvrira. Inutile de préciser que cette découverte est d'une telle importance qu'elle va susciter l'envie, la jalousie, voire la haine... Sans vous... sans l'aide de l'Etat rien ne peut être réussi... Je... je ne sais pas comment poursuivre...

— Un moment... Je vous ai laissée aller jusqu'à ce point pour ne pas compliquer votre tâche. Mais j'ai quelques observations à faire, essentielles. Et tout d'abord, une question à poser. Comment se fait-il qu'appartenant à un organisme financé par l'Etat, recevant votre salaire de l'Etat, ayant probablement mené vos expériences dans le cadre de cet organisme, vous n'ayez pas suivi la filière normale ?

— Je regrette, mais nous avons une fois pour toutes décidé que cette découverte, développée à l'extérieur de nos laboratoires du C.N.R.S., resterait d'abord française, avant de servir la cause mondialiste... Personne ne peut ignorer qu'un tel travail, une telle invention, divulgués par les comptes rendus de travaux, seraient instantanément analysés et exploités par des intérêts totalement étrangers à l'Etat, comme le furent la plupart des découvertes intéressantes de ces dernières années...

— Je vous interromps, mademoiselle, parce que ce que vous prétendez est d'une telle gravité que je devrais donner l'ordre d'ouvrir une enquête... laquelle serait évidemment préjudiciable à la discrétion dont nous devons entourer cette découverte. Il est évident que nous n'ignorons pas tout de ce problème mais nous savons que la conjoncture n'est pas favorable à sa solution dans l'immédiat. Dites-vous bien que je n'ai pas reçu des inconnus. Je connais ce qu'il est important de savoir sur M. et Mme Sainval ainsi que sur leurs jeunes équipes. Je sais les raisons du départ de ces excellents physiciens. Je n'ignore pas non plus le militantisme mondialiste de beaucoup d'entre vous, idéal d'autant plus respectable qu'il est de nature positive. L'humanité crève de ne pas avoir su ou voulu... ou pu, mélanger ses gènes. Elle n'a pas surmonté ses antagonismes raciaux. Loin d'aller dans le sens du brassage souhaité par le mondialisme, nous assistons en bien des endroits à un retour à la tribu, sans que l'hostilité des uns ou des autres en soit affaiblie, bien au contraire. Ceci dit, le mondialisme est une voie, pour ne pas dire la seule. Il a l'avantage de ne

se référer ni à Marx ni au Christ ni à Mahomet
ni à Mao Dze Dong. L'instantanéité de la diffu-
sion des nouvelles le sert et si le chaos ne s'installe pas auparavant, il existe un espoir pour que
le courant mondialiste prenne le meilleur sur les
autres. Mais tout ce qui précède, c'est l'homme
qui vous le dit.

« Le chef du gouvernement de la France vit le
problème du jour, tente de résoudre ceux qui
vont se poser le lendemain et s'efforce de pré-
server l'avenir. Nous aurions pu, et nous le pouvons encore, vous dédommager pour votre découverte sans chercher à approfondir les conditions
dans lesquelles elle a été effectuée. Vous vous
êtes bien gardés de la faire breveter, ce en quoi
vous avez eu raison. Je ne vous ferai pas l'insulte
de vous proposer l'achat. Je ne suis pas en mesure
de vous dire, à l'instant présent, si nous pourrons
trouver une organisation technique pour la couvrir et vous permettre vos recherches... mais je
suis d'ores et déjà favorable à leur poursuite.
Dans quel sens comptez-vous aller ? »

— Nous avons eu une idée qui peut sembler
folle, mais... nous avons pensé à Concorde, notre
supersonique condamné à rouiller au fond des
hangars avant de finir en morceaux vendus au
poids ou encore en plus horrible, en porteur de
bombes... Avec le Genon, il pourrait permettre
à la France de donner un coup de poing sur la
table en affirmant qu'elle existe toujours et qu'elle
n'est pas une filiale des multinationales américaines... Et puis... si réellement le S.S.T. de Bœing
devait voir le jour, ne serait-ce pas une belle
revanche que de promener un Concorde avec
des qualités nouvelles, inégalables ?... Peut-être

serions-nous capables ainsi de lui donner une nouvelle vie...

— Laissons de côté la passion et ce qui l'entoure... Est-ce techniquement possible ?

— Nous ne pouvons l'affirmer, malheureusement. Tout ce que nous pouvons assurer, c'est que notre équipement est aisément adaptable, qu'il est fiable et particulièrement bon marché, au point qu'un de nos problèmes sera de le rendre plus complexe.

— J'ignore encore comment nous allons procéder, mais votre enthousiasme me plaît, même si votre situation n'est pas exactement régulière. L'Etat se doit de parvenir à des résultats positifs sans s'embarrasser de freins, aussi respectables soient-ils. Vous auriez cherché à monnayer votre découverte que ma position eût été totalement différente. Mais en ce cas, vous n'auriez pas reçu l'appui des Sainval et vous n'auriez pas affiché ce magnifique détachement et cette inconscience surprenante. Nous disposons, heureusement, d'excellents spécialistes qui me feront savoir si votre projet, intéressant, a des chances d'aboutir. Vous en serez immédiatement prévenus et croyez que cela ne demandera pas trop de temps. Cela dit, je ne veux pas que vous supposiez que l'engagement du chef du gouvernement ou même celui du chef de l'Etat seront à même d'éviter les incidents de parcours. Dès que transpirera la nouvelle de votre découverte, nos amis les plus fidèles, nos alliés les plus convaincus, nos ennemis déclarés et ceux qui ne le sont pas, vont jouer des coudes et de leurs moyens habituels de persuasion pour tenter d'obtenir à bon compte ce qui ne leur appartient évidemment pas. Vous serez contactés par mes services et saurez les reconnaître. Vous recevrez une réponse qui sera positive ou négative. En ce dernier cas, nous rechercherons une autre forme d'application de votre procédé. Dans le premier cas, vous devrez faire confiance au personnel de spécialistes, extrêmement dévoué et réduit auquel vous aurez affaire... Oui... Allez-y, parlez...

— L'idéal serait que la France puisse conserver aussi longtemps que possible la propriété du Genon, non pas pour le réserver à notre seul profit, mais pour le tenir hors de portée des autres... jusqu'à ce que certaines réalisations et les protections légales universalisent le procédé, interdisant son utilisation exclusive par l'un ou par l'autre... Nous avons songé à des navires interplanétaires ou interstellaires... avec ce que cela entraînerait comme mobilisation humaine... travail... idéal... curiosité... rêve...

— Un objectif lointain, c'est juste mais attractif. Une idée forte à faire ressortir... Vous avez raison. La curiosité humaine est sans limites. Il faut donner de l'espoir et je devine votre anxiété. Vous avez entre les mains un instrument susceptible de donner un pouvoir fantastique et vous redoutez à juste titre qu'il ne tombe entre les mains sales de certains... Faites-moi confiance. Souvenez-vous de cette phrase : il n'y a pas que des espions, des traîtres et des jean-foutre en France. Je crois que nous allons avoir des difficultés mais également des satisfactions.

— C'est notre vœu le plus cher, bredouille Julie de Corgé.

— Eh bien, mon cher Sainval, je vais vous faire une confidence. Ma femme, qui subit stoïquement le mauvais caractère de l'homme qui n'a rien d'Atlas, même s'il a sur les épaules une responsabilité incroyablement lourde, pourra vous le confirmer. Je viens de prendre un bol d'espoir. La droite, au pouvoir pendant trop longtemps, nous a laissé en héritage un pays rongé par les parasites de toute sorte, s'effritant comme un meuble de belle apparence occupé par des termites. Un choc un peu brutal et le meuble tombe en poussière... Nous avons énormément de difficulté à détruire cette espèce de termites et à empêcher le meuble de s'effondrer... Nous agissons au coup par coup... pactisant ici, frappant là... Oui... Je sais, la politique n'est pas votre fort. Mais je n'ignore pas que nos idées sont très proches. Ces jeunes femmes et ces messieurs discrets et attentifs viennent de me faire comprendre, sans l'intermédiaire édulcorant de mes services, qu'il existe un courant intellectuel puissant avec lequel nous allons peut-être pouvoir appuyer solidement notre action. Ceci ne sera pas perdu, vous pouvez m'en croire.

CHAPITRE VIII

Ils sont rentrés par le même autocar à gazogène qui les a amenés. A bord, les mêmes têtes, indifférentes, sauf à ce qui peut se passer à l'extérieur. Arrêt sur la route du Châtelet à Fontaine, déchargement de la caisse. Départ de l'autocar, tout se fait méthodiquement, sans éclats de voix.

Ils se retrouvent, portant leur caisse, devant le chemin qui descend vers la maison accueillante des Sainval. Julie, Madeleine et Noelle vont, bras dessus, bras dessous, quelques pas en avant des trois hommes. Ce n'est qu'une fois en sécurité dans la maison tiède, sans même avoir ôté ses chaussures et son blouson léger que Julie de Corgé se paie une crise de larmes. Une vraie, si proche de l'effondrement nerveux que Noelle et Madeleine ont bien du mal à la convaincre de prendre une douche tiède.

Michel, silencieux et tourmenté, n'a pas osé intervenir. Ils devaient reprendre le train ce soir mais Robert Sainval insiste pour qu'ils partent par le premier du matin, demain. Il faut revenir sur le succès indiscutable de cette entrevue, même si on ignore le sort qui sera fait à l'hypothèse Concorde.

Les trois hommes sont dans la pièce de séjour et échangent de brèves remarques sur l'accueil dont ils ont été l'objet de la part du Premier ministre, lorsque le téléphone sonne.

— Allô, oui, ici Sainval.

— ...

— Oui... C'est lui-même. Bonjour, monsieur.

— ...

— Etes-vous certain de ne pas faire erreur ?

— ...

— Ah... je vois... en effet. Je vais vous passer un de ces messieurs. Jacques, c'est pour vous quatre, annonce le physicien, le visage soucieux.

Le jeune homme lève les sourcils, fait une moue d'incompréhension et prend le combiné.

— Allô, Jacques Donat à l'appareil.

— Monsieur Donat, la personne que vous avez rencontrée voici quelques heures vous a dit textuellement : « Il n'y a pas que des espions, des traîtres et des jean-foutre en France. » Cette phrase suffit-elle pour que je poursuive et vous communique ses instructions ?

— Elle peut suffire.

— En premier lieu, oubliez-la. Personne désormais ne pourra s'y référer. Ensuite veuillez avertir les personnes de votre groupe qu'elles seront convoquées d'ici quarante-huit heures et recevront une mission urgente les amenant à quitter leur laboratoire. Bien entendu, vous faites partie de ce groupe. Vous suivrez strictement ce qui vous sera demandé et vous conserverez la plus entière discrétion. Dois-je répéter ?

— Merci, c'est inutile. Puis-je de mon côté poser une question ?

— Aucune, bonsoir.

— Eh bien, soupire Jacques en regardant Michel et le physicien qui l'observent avec curiosité, ils n'ont pas perdu de temps. A croire que nous avons réellement impressionné le Premier ministre.

— En douterais-tu ? demande Robert Sainval.

— Non, c'est juste.

— Que veulent ces gens ? s'enquiert Michel Viauran.

— Ils nous avertissent. Demain ou après-demain nous serons convoqués, au C.N.R.S., pour une mission à l'extérieur. Moyen commode pour nous sortir de nos laboratoires sans trop attirer l'attention. Je suppose qu'ils ont inventé un sujet dans nos cordes.

— Si vite ? s'exclame Michel... alors, le Concorde... c'est gagné !

— Je ne crois pas, fait Robert Sainval. Impossible en si peu de temps. Ce que je pense plus plausible, c'est que les responsables de la sécurité qui doivent être sur l'affaire n'ont qu'une hâte, vous mettre à l'abri des indiscrets.

— C'est un bon signe, non ?

— Certain. Le gouvernement joue contre la montre et il est possible que le Genon devienne une carte inespérée, entre les mains de spécialistes du maniement des masses. Ne grimace pas, Jacques, tu ne peux tout de même pas exiger que l'Etat se sacrifie à tes idées. Souhaite seulement que toutes les paroles soient respectées. Personnellement, j'approuve la rapidité de réaction du Premier ministre. Un très bon point pour lui comme pour vous. Il va falloir vous habituer à vivre à un autre rythme et dangereusement.

— Hélas... je n'aime pas tellement, bougonne Michel.

— Il sera toujours temps de nous écarter si les choses vont trop mal, remarque Jacques.

— C'est ça, et tu crois que les filles accepteront. Non. C'est jusqu'au bout, en sachant que cela peut vouloir dire... très loin...

— Ne nous porte pas la poisse.

— On devrait avertir Julie et Noelle... cela ramènerait le calme, propose Michel.

— Il me semble préférable de laisser ma femme bavarder avec elles. Julie a une réaction normale. Elle a supporté le plus dur de l'effort. Même avec des nerfs solides et du tempérament, il y avait de quoi assommer quelqu'un. Ce n'est pas tous les jours qu'une jeune femme de trente ans affronte le Premier ministre.

— Elle a été... fantastique, murmure Michel.

C'est une Julie de Corgé penaude, les joues rougies, le nez comme une tomate, les yeux hésitant entre le vert et le rouge, qui vient prendre l'air sur le perron et s'accroche au bras de Michel.

Il se tourne vers elle et la contemple, béat, souriant dans le vague. Elle serre nerveusement les doigts sur le bras qui se raidit et se détourne, furieuse, les pommettes plus rouges que jamais. Le con ! Tout le monde va deviner qu'il piaffe comme un gamin qui n'ose pas pousser la porte pour voler les confitures. Comme s'il avait besoin de jouer aux amoureux romantiques !

— Tu devrais t'asseoir, conseille Madeleine qui n'a pas quitté la jeune femme des yeux.

— Euh... peut-être... je ne sais pas... je crois qu'un petit tour de verger me ferait du bien.

— Va donc...

— Tu m'emmènes, Michel ?

Nouveau sourire niais et regard qui vacille. Julie préfère ne plus le regarder mais ne lâche pas son bras.

Il est une heure du matin quand la bande des quatre regagne les deux chambres, à l'étage. Jusqu'à ce soir, les hommes occupaient la rose et les femmes la bleue. Jamais personne ne posait de question.

Personne n'en pose non plus cette nuit. Noelle embrasse Julie. Jacques serre la main de Michel. Michel et Julie se retrouvent, aussi intimidés l'un que l'autre devant la porte. Julie étouffe un rire et pénètre la première dans la chambre sans plus hésiter. Michel la suit et ferme la porte derrière eux.

— Tu as tes affaires ? demande-t-elle en riant derrière ses poings fermés.

— Euh... non... et j'en connais une qui ne doit pas en avoir beaucoup plus !

Julie ne perd pas de temps et regroupe quelques chiffons qu'elle enfouit dans le sac de Noelle avec les objets de toilette. On frappe discrètement. C'est Noelle qui pouffe, le sac de Michel à la main. Echange, bise et Julie referme.

Le lit est grand et large... C'est le même dans chaque chambre. Michel se gratte la tête. Il a perdu ses couleurs mais l'obscurité qu'ils ne veulent pas chasser lui vient un peu en aide.

Julie se déshabille avec une telle rapidité qu'il est encore à se demander comment résoudre ce problème nouveau quand elle passe à son côté et se glisse entre les draps.

— Qu'est-ce que tu attends ? demande-t-elle à voix basse.

— Où je couche ? fait-il, perdant pied.

— Tu choisis, à gauche ou à droite, mais ici, Michel.

Décidément, les maths c'est bien ; les calculettes et les ordinateurs pas mal non plus, mais rien de tout cela n'apporte le frisson terrible que vient de provoquer la voix rauque, changée, traînant sur le prénom... Michel !

Personne, pour sûr, ne l'a jamais prononcé de cette manière, pense-t-il machinalement en se déshabillant avec maladresse. Cela va être marrant, au petit matin, quand elle va réaliser... s'efforce-t-il d'imaginer pour chasser la panique en se glissant à son tour dans le lit, tout au bord, chastement protégé par son slip. Julie vient immédiatement vers lui. Elle ne l'agresse ni ne le provoque. Elle se contente de tendre une main sur l'oreiller pour l'obliger à tourner la tête vers elle qui se tient sagement à plat ventre, aussi loin que possible de lui, même si son visage est si proche qu'il perçoit le souffle de sa voix quand elle demande doucement :

— Michel, tes yeux disent-ils réellement ce que tu penses de moi ?

— Je... Julie... quand je te regarde... Toi... Oui... mes yeux ne peuvent pas te mentir, tu le sais bien, dis ?

— J'aime ce que tu viens de faire... Tu as osé enfin... Michel, parle-moi, maintenant, dis-moi les secrets... je veux savoir... tout...

Non. Vous ne saurez rien.

Julie aime être aimée et se sent toute prête à aimer Michel. Pour lui, la question ne se pose même pas. Il découvre tant de choses à la fois qu'il oublie tout ce qui n'est pas le présent. Pour le reste, c'est leur secret, leur propriété, comme le chuchote Julie délicieusement lasse, avant de s'endormir entre des bras qui tremblent encore.

— Un couple... comme Robert et Madeleine... c'est beau, Michel, tu sais ?

Il la serre contre lui. Il pense comme elle... Comment pourrait-il en être autrement ?

**
**

Il a fallu dix jours pour que la nouvelle arrive et que Julie de Corgé apprenne que sa proposition de lier le Genon à la destinée dépassée de l'ancien avion supersonique français est acceptée. Depuis leur mutation à la Direction Spéciale pour la Recherche, organisme dont ils n'ont jamais entendu parler auparavant, ils n'ont eu comme interlocuteur qu'un homme de leur âge, un type sympathique. Grand et solide, avec des épaules de catcheur mais ne faisant jamais étalage de sa force physique.

Il est sensible au charme acide de Julie mais la présence de Michel et l'attachement manifeste et réciproque des jeunes gens n'ont jamais permis la moindre tentative. C'est sans doute sans importance, car il demeure d'une humeur toujours égale, affable, souriant. Durant les longs entretiens discrets qu'il a eus avec les quatre amis, il a mis au point les modalités de développement du Genon dans le cadre choisi, n'hésitant

pas à proposer des solutions auxquelles les chercheurs n'auraient jamais osé prétendre.

Ils ignorent toujours le niveau d'instruction de
leur ami énigmatique mais savent qu'il s'appelle
Lucien Gallois. Il semble tout connaître, aussi
l'ont-ils classé dans les X. Il faut être polytech-
nicien de bon rang pour fournir des réponses
précises à des questions aussi diverses que celles
qui sont journellement soulevées.

Il les reçoit le plus souvent dans une petite
maison à l'écart de la circulation, du côté de
Ponthierry. Un grand jardin en pente descend jusqu'au chemin de halage. Ce n'est pas tellement
loin de Fontaine et de la maison des Sainval où
ils se sont réfugiés avec l'accord de leurs protecteurs.

— J'attends une visite aujourd'hui, annonce-t-il
quand ils se sont déséquipés et rafraîchis, après
la route parcourue sous le soleil. Vous allez découvrir quelqu'un qui vous connaît sans vous
avoir jamais rencontrés et qui pourtant en brûle
d'envie. Soyez rassurés, il se trouve qu'en outre
la personne en question a quelque chose à vous
communiquer.

— On s'en doutait un peu, fait Jacques Donat.

Les bustes sont nus. Menu et gracieux chez
Julie. Orné de deux seins bruns et fermes chez
Noelle. Le soleil fait luire la peau des uns et des
autres après l'avoir brunie.

— Le départ est pour dans six jours, annonce
abruptement Lucien.

Ils sursautent. Aucun ne parvenait encore à
croire à l'imminence ou même à la réalité de ce
départ.

— Lucien, si ce n'est pas indiscret, où allons-nous, réellement ? demande Noelle avec une moue suppliante.

— Ecoute... Et puis non ! De toute façon, vous allez l'apprendre quand notre visiteuse sera enfin arrivée. Je pourrais vous renseigner, mais si je le fais, je la prive de cette joie et ce serait injuste vis-à-vis d'elle. Sans que vous l'ayez jamais vue, c'est elle qui, depuis le premier jour de votre visite chez qui vous savez, s'est occupée de l'affaire. Elle a reçu, de très haut, la consigne de faire votre connaissance en vous apportant certaines précisions. Donc, Noelle, tu me pardonnes de vous faire languir, mais Françoise serait trop déçue. Il faut comprendre que ce n'est pas toujours drôle ni réconfortant de préparer le terrain sur lequel d'autres vont agir.

— Compris. Bien. Malgré tout, cela tu peux le dire, nous partons...

— Oui. Vous pourrez travailler en paix. L'étude de vos besoins urgents est terminé. Plusieurs avions sont déjà partis.

— Hein ? s'exclama **Michel.**

— Cela t'étonne ?

— Un peu. En si peu de temps !

— D'abord, en comptant bien, cela fait trente-cinq jours que la chose a débuté. Ensuite nous avons besoin de savoir très vite si votre bidule fonctionne dans tous les cas de figure. Au point que pour certains, nous n'allons pas assez vite. Un détail, pour marquer l'intérêt qui s'attache à vos personnes, vous voyagerez tous sur des avions différents.

— Oh ! zut s'exclame Julie.

— Merde ! grogne Noelle, de suite assombrie.

— **Soyez raisonnables et réfléchissez. Chacun**

d'entre vous représente une valeur inestimable pour le pays. Accepteriez-vous de confier votre groupe entier avec ce qu'il a découvert, à une seule machine, aussi fiable soit-elle ? Vous ne serez pas longtemps séparés. Un petit conseil, puisque nous effleurons ce sujet, dans vos couples, il faudra vous protéger mutuellement... physiquement... vous allez être entraînés à le faire.

— Je ne pourrai jamais, murmure Julie, qui a pâli.

— Mais si... il suffit que tu penses que ton homme est en danger ou inversement. Crois-moi... on y arrive très vite.

— Yeeooo !

— Françoise ! s'exclame Lucien en se levant.

Les baisers échangés sont bien proches des lèvres, remarque Julie qui trouve que Françoise est une très jolie fille, musclée, sportive, solide et sans complexe. Une poitrine splendide, constate-t-elle avec dépit, rageant de ne pouvoir offrir que deux pommes égales et toutes rondes, mais menues.

— Ce sont eux ? demande l'arrivante avec une curiosité réelle à peine masquée par un sourire éclatant. Laisse... je devine... Toi, c'est Jacques, lui, c'est donc Michel. Toi, tu ne peux être que Noelle, avec tes yeux à faire sauter les fusibles et toi, la rousse, tu es évidemment Julie... Moi je ne suis que Françoise, l'emmerdeuse, la conne qui reste dans le placard pendant que les autres font l'amour sur les tables.

— Bien, ponctue Lucien avec un sourire. Elle est et restera Françoise, rien de plus, rien de moins.

— Alors, tu leur as dit ? demande-t-elle en

défaisant de son poignet la très grosse montre qu'elle porte, pour la poser devant elle, sur la table.

— Non.

— Vrai de vrai ?

— Oui. Je te l'avais promis.

— Je t'adore ! s'exclame-t-elle en l'embrassant à pleine bouche. Pardon pour cet intermède. J'aime cet individu qui ne me le rend pas tellement, bien qu'il prétend le contraire. Vous partez dans six jours pour l'atoll de Laiena. Inutile de vous précipiter sur une carte pour le chercher. C'est un nom de code qui n'existe que dans nos puissantes imaginations. Plus tard, sur place, vous connaîtrez son véritable nom si le cœur vous en dit. Mais c'est un beau voyage que nous vous avons concocté. Vous en reviendrez bronzés comme des Polynésiens et probablement aussi indolents. Vous ferez connaissance, sur place, du personnel avec lequel vous allez travailler. Ils ne savent encore rien de vous ni de la tâche que vous allez leur demander, mais ce sont d'excellents spécialistes dans les matières qui vous intéressent. Notamment en aéronautique et dans le domaine supersonique. Vous serez responsables du projet pour ce qui concerne votre procédé. Le chef pilote sera responsable des essais en vol et de tout ce qui concerne la machine elle-même. Un ingénieur ancien, volontaire, sera responsable de l'adaptation de votre procédé à la machine. Vous devrez vous entendre mais en cas d'impossibilité, nous interviendrons s'il le faut. Vous partirez tous sous des noms et des uniformes d'emprunt. Y compris les femmes. Vous ne garderez les uns et les autres que le temps du voyage. Les

équipages des appareils sont formés de gens
sérieux et sûrs. Mais ils reviennent en Métropole
et c'est fou ce qu'on peut raconter sur un oreiller
au retour d'une mission. Je ne leur en fais pas
reproche. Pour leur éviter de commettre une
erreur, il est aussi simple de travestir la vérité
au départ. Dans les appareils ayant déjà effectué
une rotation sur Laiena se trouvait pas mal de
l'équipement que vous avez défini avec Lucien.
Le reste suit et suivra aussi longtemps que durera
la mission. Pour les oreilles et les yeux qui nous
épient, la France va mettre au point, là-bas, un
modèle d'engin atomique adaptable à la machine
qui va recevoir votre procédé. Sous-entendu, si
cela marche, les militaires seront enfin satisfaits
de pouvoir utiliser un engin capable de porter
très loin la destruction. Au fait, dois-je répéter ?

— Euh... non, fait Michel machinalement, les
yeux involontairement attirés par les aréoles bru-
nes à souhait qui vibrent à chaque mouvement
des épaules de la belle Françoise. Cependant, un
détail m'intrigue. Si nous faisons l'expérience
pour laquelle nous avons conclu un accord, il faut
une sérieuse installation au sol et une belle piste,
non ?

— Tout ceci existe, rassure-toi. Et fais confiance
aux organisateurs et aux gens qui vont se décar-
casser avec vous.

— Je ne serai rassuré que notre bidule monté
et la machine prouvant que la saloperie volante
américaine est foutue d'avance.

— Terribles, ces jeunes gens. Moi qui vous
croyais mondialistes ?

— Mais nous le sommes ! s'exclame Noelle avec
force.

— Tu peux toujours le dire ! Tu bouffes de l'amerloque à pleines dents. C'est cocoricotier en diable, cette attitude, tu ne crois pas ?

— Je crois surtout que tu es en train de nous mener en bateau.

— Moi ? Après tout... Tu es libre de le penser. En tout cas, prudence... Il n'y aura plus un seul endroit sur Terre où vos conversations seront sûres. Même quand vous ferez l'amour, là-bas, sous les Tropiques, en oubliant l'existence de Françoise, dites-vous qu'il ne faudra rien échanger d'autre que de l'amour. Vos labos, vos installations seront sous contrôle total. Mais on ne peut couvrir chaque arpent d'un grand atoll. Evitez donc de bavarder de sujets techniques hors des locaux sous protection. C'est simple. Compris ? demande la ravissante jeune femme dont les yeux bleus sont devenus de glace.

— Quelle vie idiote ! soupire Julie.

— Que préfères-tu ? Réussir, crever ou passer de l'autre côté, celui-ci pouvant être situé aussi bien à Houston que dans le Sing Khiang ou en Sibérie, si tu vois bien ce que je veux dire ?

— Je ne veux que la paix et pouvoir respirer et parler sans craindre le pire.

— Alors abandonne, tranche brutalement Françoise. Sinon tu disparaîtras de la circulation. Pas de notre fait, bien sûr, mais dis-toi seulement, si tu lis les livres d'espionnage, que la réalité dépasse toujours la fiction dont elle est absolument différente. Jusqu'à présent, tout s'est bien passé parce que personne n'a eu son attention attirée par ce qui nous occupe. Vous n'êtes pas encore suivis, mais certains éléments de l'organisme qui vous employait ont dû rendre compte et il est possible qu'on commence à s'inquiéter de vous. Je vous signale un détail intéressant, pour meubler vos réflexions. Durant vos travaux, la machine va évidemment rester là-bas. Mais comme elle doit recevoir la fameuse bombe, on va énormément parler de ses semblables restées en France et sur lesquelles seront entrepris des travaux qui intéresseront bien des gens.

— Tu ne penses tout de même pas que nos occupations de Laiena vont rester inaperçues ? ricane Jacques Donat.

— Evidemment non. Entre les avions de reconnaissance et les satellites, en y ajoutant les sous-marins et les chalutiers, vous serez observés, surveillés, épiés. Précisément, ici sera une centrale de travail d'un genre un peu différent destinée à vous soulager dans la mesure du possible.

— Tu parles réellement comme si tu décidais de tout, remarque Julie de Corgé le menton sur ses poings.

— Toi, la rousse, tu es mal placée pour faire une telle remarque. Tu seras la patronne de l'équipe... mais oui... Et ce que tu concoctes avec tes petits copains est plus fort, plus grand, plus enthousiasmant que nos misérables travaux terre à terre. Tu ne penses pas ?

— Non. Franchement, je ne pense pas du tout ça. Tu portes un masque, très beau, ce qui te permet d'en profiter. Tu joues le rôle que tu dois jouer et il est évident que sans toi et ceux qui se trouvent derrière, nous serions paralysés. Moyennant quoi, tu brodes pour nous donner ce que tu peux et rien de plus. Je commence seulement à réaliser que si nous voulons arriver à quelque chose il va falloir un tas de filles et de gars comme vous deux, pour nous entourer. Pour la suite, je préfère ne pas trop penser. Mais tu vois... cela me donne envie de rendre... Pire que... enfin pire que nos essais.

— Dis voir, tu raisonnes toujours comme ça ? s'enquiert Françoise dont les traits réguliers se sont imperceptiblement durcis, malgré le regard soudain en alerte de Lucien Gallois.

— La recherche nous habitue à raisonner, pas toujours juste mais souvent vite.

— Moi, je sais une chose, indique Françoise qui s'est reprise, et celle-là, personne ne peut m'interdire de la faire connaître. Ce que j'ai appris de votre groupe est suffisamment sympathique pour que Lucien et moi nous lancions dans l'aventure à corps perdu.

— Ne vous envoyez pas des vacheries ni des fleurs, rétorque Lucien sans quitter des yeux la montre imposante placée devant lui. Nous savons et vous devez savoir que ce que vous avez entrepris interdit la pitié. Je suis persuadé que cela va vous choquer mais vous ne pouvez ignorer la valeur de l'enjeu. Vos peaux ne valent pas plus cher que les nôtres désormais et si vous voulez vivre vieux il faudra que la confiance règne entre nous. C'est cela, la réalité, sans fleurs et sans acrimonie. Vous êtes intelligents. Beaucoup plus que la moyenne des gens de votre âge en raison de l'entraînement intensif que vous menez sans vous en rendre compte. Nous avons un certain bagage, Françoise et moi. Marchons dans le même sens et surtout, ne nous cachons pas le visage derrière nos doigts ouverts. Françoise ne sera jamais licenciée ès sciences. Julie ne peut pas abattre un bonhomme avec un .38 spécial à cin-

quante mètres. Restez vous-mêmes. Le seul point
que nous ayons en commun c'est, pour les filles,
le charme et l'intelligence. Pour nous les hommes,
l'intelligence et la volonté de réussir. Je fais
exprès de nous placer sur des monticules différents. Vous allez chambouler le monde. Ne soyez
pas surpris des retombées.

— Eh bien ! souffle Noelle dans le silence gêné
qui suit.

— Lucien adore mettre de temps à autre les
pieds dans le plat, souligne Françoise avec un
rire. Et il a raison.

— Le monde est-il donc si répugnant que pour
réaliser quelque chose de valable il faille en passer par là ? demande Julie à mi-voix.

— Ta question donne la dimension de votre
innocence, répond Lucien avec plus de gentillesse.
Oui le monde est dur... pas exactement répugnant.
Il est habité par des humains qui, en tant que
tels, se battent depuis que le premier homme a
tué celui qui lui a semblé son rival.

— J'aimerais poser une question plus générale,
fait Jacques Donat, renfrogné. Pour combien de
temps sommes-nous couverts par cette mission ?

— A ton avis, il faudra combien de temps pour
parvenir à un résultat exploitable ?

— Tout dépend de ce que nous trouverons sur
place et de l'adaptabilité de notre procédé sur la
machine.

— Vous aurez tout ce que vous avez demandé
plus ce que vous demanderez.

— Sans entrer dans le détail, seulement pour
dire, ça va marcher, avoir une quasi-certitude,
dans un sens ou dans l'autre, il devrait suffire
d'un mois à peu près. Pour équiper la machine,

si ça marche, disons... il me semble... six à huit mois. Mais pour le perfectionnement, je n'en sais rien. Il y a trop d'inconnues.

— Vous serez donc couverts. La première partie de la mission est prévue pour un an.

— Tu viens de le décider ?

— Non. C'est ainsi. Une remarque et un conseil, en passant. Penses-tu que ce que vous allez tenter, toi et tes amis, est gratuit ? Ou plus exactement, ne coûtera rien à la communauté ? Si cela marche, il faudra pouvoir récupérer la dépense, mais si ça foire ? Le conseil, maintenant, ne cherchez pas à savoir les choses qui ne sont pas de votre ressort.

— Nous avons assez bien compris. Inutile de le répéter à tout bout de champ.

— Erreur, Jacques. Tu n'as pas encore bien admis que c'est ta peau et surtout celle de tes amis, de Noelle, de Julie, que tu joues en parlant sans réfléchir à la portée seconde de la parole. Vous êtes des gens raisonnables, souligne Françoise avec une gravité impressionnante. Vous n'aurez donc aucun mal à découvrir que nous ne pouvons avoir une autre attitude. Une dernière recommandation mais absolument instante : plus un mot sur l'affaire à partir du moment où cette montre aura repris sa place à mon poignet. Est-ce net ?

— C'est compris, Françoise, répond Julie, les yeux baissés sur le bois de la table, nous ne sommes pas tellement demeurés, tu sais ?

— Ma chérie, tes yeux verts sont trop beaux pour avoir vu et pouvoir supporter ce que nous avons vu, Lucien et moi, malgré notre apparente décontraction. Soyez ce que vous avez toujours été, propres, nets, hors de ce bourbier que vous déplorez. Laissez-nous nos tâches apparentes. Et maintenant, jouez, faites l'amour, chantez, arrangez une partouze ou n'importe quoi ici, mais plus un mot sur ce qui vous y a amenés.

— Emmène-nous donc faire un tour de la propriété, suggère Julie.

— Parfait, excellente idée, répond aussitôt Françoise en enserrant son poignet brun dans le large bracelet. Prenez donc les musettes et les bidons. J'ai un solide casse-croûte et un non moins solide appétit.

Ils découvrent rapidement que Françoise a d'autres envies et qu'elle se moque de l'environnement. Le terrain s'y prête. Petits bosquets aux feuilles vert tendre, herbe haute, pentes et vallonnements. A la fois sauvage et apprêté, songe Julie serrée de près par Michel. Elle aimerait suivre l'exemple de Françoise qui miaule pas tellement loin de là mais elle sait qu'elle en est incapable. Ce qui existe entre elle et Michel ne peut se concrétiser qu'en l'absence de témoins. C'est leur bien, unique.

Le soir arrive quand ils prennent congé de leurs hôtes. Ils se trouvent de nouveau devant la table de bois. Les superbis attendent sous le toit-garage. Françoise pose sa montre sur la table.

— Vous trouverez l'itinéraire à suivre, là-dessus, dit-elle en sortant un feuillet plié en quatre de sa musette-mangeoire. Ne vous intéressez pas aux gens que vous croiserez sur la route ni à ceux qui vous sembleront attendre ou encore mieux, à ceux qui seront en difficulté apparente. Vous avez le temps de rejoindre Fontaine mais ne vous arrêtez pas. On s'embrasse ?

Ils se sont embrassés et Julie a repris sa place sur la selle arrière du superbi. Michel tient le guidon et elle fait la route. Il ne leur faut pas un très long temps, l'œil aux aguets, pour distinguer, ici ou là, d'autres superbis ou même des engins à moteur dissimulés plus ou moins bien aux carrefours. Il se sentent à la foix heureux et effrayés.

Ils sont nettement dépassés par l'événement. Entraînés dans un aventure dangereuse, mais placés sous une protection étonnante d'efficacité. Devant eux, des superbis roulent à leur vitesse. Derrière eux, Noelle en se retournant peut en voir qui suivent de loin, sans chercher à se rapprocher. Inutile de se poser des questions, l'escorte est fournie. Ce serait magnifique, songe Julie avec amertume, si cela ne signifiait pas l'existence d'un danger qui va menacer non seulement leur petit groupe mais encore Madeleine et Robert. Et c'est bien elle, Julie de Corgé, qui un soir, en désespoir de cause, a réussi à convaincre ses trois amis, réticents, de se confier au couple de physiciens.

Angoissée, le cœur lourd, la jeune femme met pied à terre devant le portail de la villa. Il n'y a rien à faire ni à tenter. Il faut désormais aller jusqu'au bout, c'est ce qui vient de lui apparaître durant les derniers kilomètres du trajet, en pédalant derrière Michel qui sifflote.

CHAPITRE IX

— Fait déjà chaud, ce matin, bougonna Alicia en empoignant seau et balai.

— Tu peux le dire, renchérit Félicie, boudinée dans sa combinaison blanche sous laquelle sa poitrine imposante demeurait agressive été comme hiver.

Derrière elles, les douze femmes de la section d'entretien, complétant leur groupe de travail, opinèrent plus ou moins ouvertement, créant un bourdonnement dont quelques mots seulement firent surface :

— ... varices... bras... mon nez... cheveux... la Doudoune... crevée... sueur... merde alors !... ras le bol...

La porte blindée contre laquelle Alicia attendait s'ouvrit et la trogne rougeaude de Félix, le chef du contrôle permanent, apparut en premier. Immédiatement derrière lui, comme chaque matin, deux gars en uniforme strict, casquette à liséré blanc, visage sévère et froid, se placèrent de chaque côté du passage. Pas d'arme apparente. Seulement un ceinturon blanc auquel étaient accrochés des étuis de longueur différente.

La voix rocailleuse et chantante de Félix appela chacune des quatorze femmes par son prénom, sous l'œil vigilant des gardes. Derrière Zoé, la plus âgée, celle qui ramassait les papiers, enveloppes et débris rappelant plus ou moins un emballage, la porte fut refermée. Les lourdes barres descendirent silencieusement et les gardes se postèrent de chaque côté du vantail d'acier.

Chacune des femmes ayant un travail bien précis, l'ouvrage ne risquait pas d'entraîner des à-coups. Elles étaient employées depuis suffisamment de temps pour qu'il ne soit pas utile de leur rappeler l'interdiction de fumer, celle de toucher à quoi que ce soit des équipements, accessoires, outillages ou même à la structure de la machine mystérieuse et vaguement inquiétante, partiellement bâchée, en dépit de l'abri offert par l'immense hangar hermétiquement clos. Elles se contentaient de nettoyer la portion leur revenant, à l'huile de coude et au balai. Pourquoi pas aux aspirateurs ou autres aides, personne ne le savait dans le groupe. Mais, comme l'avait dit une fois Félix, elles n'étaient pas là pour poser des questions.

Alicia, la plus jeune, balayait la longue carlingue dans laquelle les ingénieurs et les techniciens laissaient traîner toute sorte de choses, malgré la consigne, ou pour montrer qu'ils se foutaient de celle-ci comme de leur première culotte. On trouvait aussi bien des pelures d'orange que des enveloppes de bonbons acidulés, des morceaux de carton ou même, de temps à autre, une capote anglaise, clin d'œil des gars qui s'échinaient sur la machine à celles qui, humblement, tentaient de la maintenir un peu moins crasseuse. Et durant tout le temps qu'Alicia ramassait, fouinait, enfouissait ses découvertes dans une sorte de seau à fente, qu'elle remettrait au contrôle sans le vider, un garde ne la quittait pas d'une semelle.

Les autres femmes, sauf la vieille Zoé, balayaient, tête basse, échine plus ou moins courbée, l'immensité du hangar dans lequel la poussière venue d'on ne sait où s'entêtait à s'accumuler. Une tâche ni plus ni moins emmerdante que les autres. Payée au tarif syndical, plus une petite prime pour avoir à supporter la surveillance, souvent pénible, des gardes.

S'il n'y avait eu leur présence tatillonne, il est certain que le hangar eût résonné plus fréquemment des voix sonores de filles comme Alicia ou Félicie. Mais allez bavarder, même si ce n'est pas du tout interdit, quand plusieurs paires d'yeux, en général clairs, allez savoir pourquoi, vous fixent sans ciller.

Et pas question de familiariser avec ces jeunes gars, dont certains étaient plus que pas mal, comme le reconnaissait Félicie en les jaugeant d'un œil connaisseur, arrêté souvent sous le ceinturon. Ils changeaient fréquemment sans qu'on découvre un cycle ou un rythme à ces changements. Ils n'engageaient pas à appuyer plus fort sur les balais ni à accélérer la cadence. Mais finalement, pour échapper à leur seule présence, les femmes s'activaient. Plus vite terminé, plus vite libérées.

Tout au début, cette sorte d'épidémie d'espionnite avait fait jaser autour des installations de l'Aérospatiale et même en ville. Le Capitole avait résonné de questions sans réponses ou de réponses à des questions informulées. La presse s'en était emparée mais comme cela n'intéressait pratiquement personne, l'actualité avait effacé ce faux problème. De temps à autre, pour boucher un trou, un journal ressortait le mystère du hangar C comme d'autres le monstre du Loch Ness, éternellement vivant. Baudruche gonflée par un pet, elle s'affaissait par les mille pores des faits divers. Voué à la casse de toute manière, le Concorde n'intéressait plus.

Félicie s'arrêta pour s'éponger le front, cramponnée à son balai à large brosse et interpella Jeanne, la petite blonde toute maigre qui, aussitôt le travail terminé à la S.N.I.A.S., enfourcherait son vélo pour foncer chez Polmal, le fabricant de photophores et recommencer à balayer, mais sans gardes.

— Dis, Jeannette, tu sais que j'ai vu une belle salopette verte, hier, chez l'Uniprix ? Je me l'aurais bien prise mais ils n'ont que des tailles pour fille de vingt ans. Elle t'irait bien, à toi, elle comprime pas trop la poitrine. Moi elle me rentrait dans les fesses...

— Beuh... tu sais, en ce moment, j'économise. Mon mari, il ne sait pas s'il va pouvoir continuer chez Cyclomat. Alors tu comprends, les salopettes, je m'en fous un peu !

— Oh oui, que je te comprends ! Merde d'époque quand même. Tu dis que Gaston il a peur pour son emploi ?

— Ils ont tous peur. Paraît qu'un des directeurs de la boîte, à Paris, il a foutu le camp avec une partie de la caisse... En Uruguay, qu'il serait ! Tu te rends compte ? A cause d'un pourri qui ne sait même pas ce que c'est qu'une lime on risque d'avoir trois cent cinquante familles sur la paille. Moi, des types comme ça, si j'en tenais un, je lui couperais les couilles et je l'accrocherais ensuite à un réverbère avec une pancarte expliquant le pourquoi.

— Et t'aurais raison ! s'exclama Félicie en empoignant avec énergie son manche de balai pour reprendre la ligne interrompue.

Cela dura comme la veille et les jours précédents. Quatre heures de balayage, jusqu'à ce que Félix revienne, passe rapidement autour de la machine géante, hochant silencieusement la tête comme s'il était devenu gâteux ou ataxique et repartant, suivi des quatorze femmes, murmurantes, lasses, sachant que pour elles la journée ne faisait que débuter.

Elles repassèrent entre les gardes immobiles, abandonnèrent leurs instruments de travail dans le local prévu à cet effet et se changèrent rapidement. Félicie boudinée dans sa combinaison de travail se transforma en Félicie boudinée dans sa combinaison de tous les jours. La couleur ne fut pas la même. Et toutes enfourchèrent leur vélo, même la vieille Zoé dont le démarrage, chaque jour, apitoyait les gardiens du poste donnant sur la rue. Fallait la voir zigzaguer en peinant pour presser sur ces foutues pédales qui semblaient engluées de cent kilos de merde ! De temps à autre, quand on voyait qu'elle n'allait pas y arriver, le plus jeune des gardiens se précipitait et lui donnait la poussade. Elle criait un merci étranglé et disparaissait, petite silhouette maigre qui tiendrait encore un peu, un tout petit peu, avant de n'avoir plus la force de gagner le quignon dont elle faisait sa nourriture et celle de son chat.

Et durant le temps que Zoé s'effaçait des préoccupations du poste de garde, quatre hommes pénétraient dans le petit réduit à balais, seaux et autres instruments de nettoyage, y compris les aspirateurs plombés utilisés durant les travaux de l'après-midi.

Avec conscience, ils examinèrent chaque instrument, chaque papier recueilli par Alicia, avant d'établir un rapport sur un bloc spécial, en trois exemplaires. Puis ils repartirent comme ils étaient venus, deux heures plus tard. Dans le grand hangar, ingénieurs et techniciens s'affairaient. Ils travailleraient jusqu'au soir, après une courte halte par équipe pour le repas pris à 14 heures.

A 19 heures, Félix réapparut, la trogne toujours enluminée, la moustache masquant la lippe, la casquette penchée en arrière. La silhouette habituelle, quoi. Il effectua le tour du hangar, regarda les ingénieurs, les techniciens, les surveillants se mêler, se dissocier, se former en rangs, s'engouffrer par la même porte, celle du contrôle radiographique instantané, puis disparaître.

Par une autre porte, de métal elle aussi, dix gardes pénétrèrent. Des jeunes, au crâne tondu frais, dans leurs uniformes impeccables. Ceux-là étaient armés, non seulement de machines à tuer, mais encore d'étranges appareils dont Félix ne se demandait plus rien, ayant passé l'âge de s'étonner. Il leur fit, pour le principe, un large geste de la main, pouvant signifier : à vous, les gars, et referma la porte menant au contrôle radiographique.

Il bavarda durant cinq minutes avec les deux

spécialistes encore assis devant leurs écrans éteints et fit le tour des issues, présentant à cha-cune d'elles son enregistreur de ronde. Il visita ainsi les cabinets, le vestiaire, les lavabos, les douches, le poste incendie, les placards, le réduit à balais.

Il ne s'attarda pas plus dans celui-ci que dans les autres mais il y pratiqua un échange qui eût sans doute étonné s'il avait été découvert. Il dévissa d'une poigne exercée l'extrémité du balai de Félicie, extirpa ce qui s'y trouvait, le remplaça par l'identique, revissa l'extrémité et plaça la chose récupérée dans sa coiffe de casquette. Ce fut rapide, précis, bien fait, comme toutes les autres fois.

Ce petit geste, combien insignifiant, permettait à Félix, à Félicie et à quelques-uns de leurs pro-ches de voir venir, dans la tourmente qui s'annon-çait. Pour ce qui était des conséquences, on s'en foutait. On n'a qu'une vie, n'est-ce pas ?

CHAPITRE X

Quelque part dans la frange du désert de Mojave, à quelques dizaines de mètres sous la surface rocheuse et calcinée par le soleil impitoyable, le colonel D.J. Dawson se gratta le menton pour la dixième fois en repassant les images sur le grand écran mural. Remarquables ! Décidément, les gars de la photo devenaient des champions. Réussir de telles prouesses avec un objectif de la grosseur d'une tête d'épingle était sensationnel !

Evidemment, chaque photo projetée dans le réduit secret, non compris le salaire du colonel, revenait à une bonne dizaine de milliers de dollars. Sans qu'il soit possible encore de dire si cet argent ne serait pas dépensé en pure perte.

— Lee, appela le colonel par son interphone.

— Oui, Lee Marshall, j'écoute ?

— Ici Dave, viens me voir au 303.

Quelques minutes plus tard, deux couloirs, quatre ascenseurs et trois blocs de sécurité franchis sans encombre, le major Marshall pénétra dans le bureau du colonel Dawson.

— Regarde cette photo. Tu as dû la recevoir en même temps que moi. As-tu remarqué la forme de la tuyère et cette espèce de caisson accroché juste sous le ventre du réacteur ?

— J'ai vu, Dave, et comme toi je cherche. J'ai collationné les images depuis les toutes premières. Ils ont déposé les réacteurs, les ont remontés, sans avoir rien modifié. Ils ont recommencé... Nous en sommes à la treizième fois. Tout à fait comme s'ils expérimentaient un gadget difficile à placer. Mais ce truc avec les tuyauteries flexibles, c'est nouveau. Et cela ne peut décoller avec le jet.

— A moins d'être abrité dans un carénage, observa D.J. Dawson. Qu'en pense le général ?

— Il grogne que ces cons de Français sont en train de chercher un moyen d'emmerder Bœing et son S.S.T. Il prétend que les militaires sont parvenus à convaincre les politiciens qu'on ne peut foutre à la poubelle une machine qui a coûté le prix d'une révolution.

— Il n'a peut-être pas tort.

— Possible. Mais ses informations viennent d'ici, Dave. En tout cas, chapeau pour les opérateurs. C'est pourtant coton de passer à travers les contrôles. La Sécurité Militaire s'est distinguée.

— Oui... il paraît, fit rêveusement le colonel sans relever le nez de son bureau, comme s'il découvrait qu'il était recouvert de billets de mille dollars. Répète voir !

— Que veux-tu que je répète ? fit le major, **ahuri.**

— Ce que tu viens de dire sur Toulouse...

— Euh... que c'était coton de passer à travers le contrôle de la S.M. ?

— Tout juste... Je suis en train de me demander si tout n'est pas caché dans cette observation ? Ce qui se passe à Toulouse pourrait n'être que du vent, pour nous attirer, nous tromper, pendant que le vrai travail se fait à Rangiroa à l'abri de nos gens... Qu'en dis-tu ?

— Que tu n'as pas le commencement d'une preuve pour étayer cette hypothèse.

— Rien... c'est exact. Si ce n'est ta remarque, pertinente et ce truc bizarre pendouillant sous un réacteur de vingt tonnes de poussée et ressemblant à tout ce qu'on veut, sauf à quelque chose de connu dans le domaine de l'aéronautique. Viens, nous allons voir Lindon... j'aimerais recevoir quelque chose de nos gars sur Rangiroa.

***
***

A 80 000 pieds au-dessus de l'océan Pacifique, simple tapis bleu piqueté çà et là de formes blanchâtres, Steve Mac Farness, colonel pilote de R.B. 911 H, le plus rapide et le plus étonnant des appareils volants jamais réalisés pour une armée, effleura quelques molettes, tourna de quelques degrés un potentiomètre, regarda l'horizon artificiel, l'écran du contrôle général centralisé et sa voix traînante parvint aux écouteurs de son navigateur observateur, le major Steelway.

— Objectif à sept minutes, Chuck.

— O.K. ! Steve, je suis prêt.

— Hey... attends... un message... Ils sont din-

gues ! O.K... O.K... Après tout je n'en ai rien à
foutre ! Chuck ?

— Oui ?

— Ecoute un peu ça : prendre des vues de
10 000 pieds avec grand angulaire en latéral sans
se préoccuper des réactions possibles. Ils ajou-
tent quand même « bonne chance » !

— O.K. ! je vérifie le dinghy, répondit le navigateur avec flegme.

— S'ils ont mauvais caractère ou mauvaise
conscience tu n'auras pas besoin de dinghy, grogna le pilote en appuyant sur plusieurs contacts,
ce qui eut pour effet d'engager le long fuseau
noir dans une descente avec un angle vertigineux.

Plus un mot ne fut échangé dans le cockpit
pressurisé, chacun des deux spécialistes ayant
suffisamment à faire pour ne plus avoir une
seconde pour ouvrir la bouche. En vieux routier
de la reconnaissance aérienne, le colonel Mac
Farness corrigea la trajectoire supersonique de
son bolide de titane de manière à passer entre
l'objectif et le disque solaire, ce qui aurait le
double avantage d'éclairer l'objectif et d'aveugler
les éventuels tireurs à vue. Pour les autres... il
faudrait compter sur la chance et les leurres.

Un regard sur les pyromètres qui signalèrent
que les bords d'attaque et le nez de l'appareil
atteignaient une température énorme, fort heureusement prévue par le constructeur. Il réduisit
malgré tout la vitesse à Mach 2,5 et stabilisa le
R.B. 911 H aux dix mille pieds exigés par le
correspondant anonyme et tout-puissant.

Une pression sur un bouton minuscule et dans
les tambours des caméras les images s'emmagasi-
nèrent à une vitesse prodigieuse. Une autre pres-

sion sur un second bouton, à peine plus gros, et
la machine se cabra, propulsée par les cent tonnes de poussée libérées par ses réacteurs à hydrogène. La vitesse crut aussitôt et avant d'avoir
rejoint l'altitude origine elle eût dépassé Mach 3,6,
sans ce qui survint dans la montée.

Dans un haut-parleur, une voix furieuse avec un
accent déplorable tempêta, invectiva, ordonna,
mais ce fut aussi bref que le sillage des trois
fusées qui s'élevèrent d'un navire, brusquement
décelé à cinquante nautiques dans l'axe du R.B.
911 H. Sur la console de combat des deux avia-
teurs deux lampes rouges s'allumèrent. Le colonel
pressa rapidement une série de boutons et une
partie de la formidable énergie développée par
l'hydrogène fut envoyée dans les génératrices des
lasers de défense. Sur les trois fusées qui mon-
taient, deux passèrent sans exploser, poursuivant
leur parabole en direction de l'espace puis de la
mer. La troisième, dotée d'un brouilleur anti-
brouillage rattrapa le R.B. 911 H par le tiers
arrière et explosa.

Dans la passerelle de commandement du porte-
hélicoptères, l'officier de D.C.A. serra les lèvres.
Il espérait autant qu'il redoutait ce coup au but.
Personne, à bord, ne hurla sa joie. Là-haut, des
types venaient de mourir, sur ordre, sans qu'on
sache pourquoi.

— Envoyez deux Frelon pour la recherche de
survivants éventuels, ordonna le pacha d'une voix
glacée. Que l'on ramène tout ce qui flotte, jusqu'au moindre débris. Prenez le temps qu'il faut.

— A vos ordres, commandant.

Durant trois heures les grosses machines bour-
donnantes survolèrent la zone criblée par les épa-

ves tombées du ciel, les pêchant dans des filets remplis à la main par les plongeurs. L'une d'entre elles ramena quelque chose que les hommes, brusquement raidis au garde-à-vous, sur le pont du navire, saluèrent, le cœur au bord des lèvres. On ne sut pas qui c'était. Il eut un cercueil. Une salve salua son retour à la mer. Ce fut tout pour les heures qui suivirent immédiatement l'incident.

*
**

A 80 000 pieds, dans la cabine pressurisée de son Mig 235, Ygor Darine le colonel pilote se tourna vers la droite pour regarder son navigateur et copilote, Serge Lomossof.

— Tu vois ces traces, Serguei ?

— Difficile de ne pas les voir, bougonna le major Lomossof. Il y a eu tir de fusées et descente de quelque chose ou de quelqu'un.

— Navire de surface droit devant. C'est leur porte-hélicoptères...

— Exact, confirma le major, agrandissant l'image sur l'écran central. Ils ont deux de leurs gros Frelon qui tournicotent... La pêche sera bonne, sans doute. Pourquoi ont-ils tiré ?

— N'en sais rien... n'ont pas l'air de se soucier de nous..., grommela le colonel, soucieux, surveillant les appareils de détection périphérique.

Il ne commença à se détendre que cinq cents kilomètres et dix minutes plus tard, en ramenant la puissance de ses statoréacteurs à hydrogène à un régime acceptable pour rejoindre en sécurité sa base lointaine.

Et à quelques heures d'intervalle, en des lieux presque identiques, bien qu'enfouis aux antipodes l'un de l'autre, des hommes en uniforme, graves et préoccupés, examinèrent les rapports parvenus sur l'incident. Un incident dont personne, en dehors des plus hautes autorités gouvernementales et militaires des trois pays concernés n'eut connaissance... Pas même les familles des disparus.

— Lee ! beugla le colonel Dawson dans son interphone en prenant connaissance du long télex de l'Air Force, véritable réquisitoire contre le Service.

— Ici Lee Marshall, j'écoute.

— Viens immédiatement, au 303.

Le major comprit qu'une catastrophe venait de survenir rien qu'à la mine affichée par son supérieur et ami.

— Qu'y a-t-il, Dave ?

— Lis ça... Un de nos 911 H a disparu, volatilisé, après avoir effectué le passage à 10 000 pieds que j'avais exigé...

— Accident ?

— Non. Fusées.

— Comment le savons-nous ? L'équipage a eu le temps d'évacuer ?

— Rien de l'équipage. Une surveillance lointaine par un de nos radars volants. Les sillages ont été détectés. Deux engins ont explosé, longtemps après, au contact de la mer, à près de deux mille kilomètres de là. Le troisième a fait mouche sur notre avion. Ce qui signifie ou bien que le pilote a oublié d'utiliser les leurres et le brouillage... ou bien qu'une des trois fusées disposait d'un système neutralisant notre parade... C'est affreusement grave, Lee. Et de plus nous n'avons rien sur Rangiroa.

— Nous disposons des photos des satellites et de celles prises en altitude.

— Ce n'est pas avec elles que nous découvrirons ce que nous soupçonnons. Une chose est certaine, les Français ne veulent pas que nous approchions de trop près. Il faut avertir le boss. Nous venons de perdre une machine et son équipage... Le Pentagone était persuadé que ces cons-là ne tireraient pas sur un avion américain ! Eh bien... sacré réveil ! Nous n'avons pas fini d'entendre parler de Rangiroa.

*
**

Vingt-quatre heures plus tard, à Paris, un bureau de palissandre, dans un salon orné de tapisseries exceptionnelles, entre de hautes glaces aux ors un peu ternis. Par les fenêtres ensoleillées c'est un peu de fin de printemps qui passe.

— Mon cher ambassadeur et ami...

— Monsieur le ministre...

— Quel bon vent vous amène ?

— Hélas, je crains que ce ne soit le vent d'autan, soupire l'ambassadeur qui a quelques lectures et peut-être des connaissances en météorologie. Une note de protestation de mon gouvernement au sujet de cette malheureuse affaire... Mais peut-être êtes-vous au courant ?

Le ministre s'est rassis après un geste pour convier son visiteur à en faire autant. Mais désormais le bureau les sépare.

— De quelle malheureuse affaire parlez-vous, monsieur l'ambassadeur ?

— Voyons voir... Voici le contenu de la note

que je reçois de mon gouvernement : « Vous prions de demander aux autorités françaises compétentes la raison pour laquelle un avion de reconnaissance de l'U.S. Air Force, non armé, a été abattu par un tir de fusées en... » voici les coordonnées qui correspondent à une distance de cent douze milles de Rangiroa... Un atoll... Une île... sur laquelle il semble que vous manifestiez une activité considérable depuis quelque temps.

— Monsieur l'ambassadeur, je ne manquerai pas de remettre cette note au chef du gouvernement. Je ne dispose moi-même d'aucun élément susceptible de vous éclairer. Je crois comprendre que vous déplorez la perte d'un aéronef et sans doute de son équipage... Oui... c'est bien cela... Je la déplore comme vous. Cette affaire est néanmoins étrange, car nous étions convenus, si vous vous en souvenez bien, d'une zone interdite de deux cents milles autour de Rangiroa, le temps que nous mettions au point un certain matériel. Nous avons accepté en outre de tolérer les survols occasionnels à haute altitude. Je ne vois donc pas ce qui a pu se passer. Dès que je serai en possession d'éléments de réponse je ne manquerai pas de vous le faire savoir.

— O.K., Jean, je suis dans la merde avec cette affaire, comprenez-vous ?

— Et moi, autant que vous, Paul. Mais que puis-je faire ?

— Nos gens du Pentagone sont enragés. Ils parlent de représailles.

— Je crains bien que ceux d'ici n'en aient autant à leur service. Etes-vous certain que par hasard vos pilotes n'auraient pas méconnu la consigne d'interdiction de survol à basse altitude ?

— Je suis formel, Jean, notre super-jet a voulu voir de trop près ce que vous foutez là-bas... mais pas sur l'initiative de son pilote.

— Qui a donné l'ordre ?

— Vous le demandez ? Pas le Président ni son entourage.

— Combien étaient-ils à bord ?

— Deux... Mariés, des gosses...

— Ils ont obéi... Comme ceux qui ont lancé les fusées, Paul. Que feriez-vous à ma place ?

— Ce que vous faites, Jean. Mais si seulement nous pouvions savoir ce que vous mijotez avec ce foutu maudit Concorde bon pour la ferraille et qui s'est traîné jusque là-bas !

— Je vous l'ai dit et répété je ne sais combien de fois et curieusement vos analystes, vos spécialistes de tout poil, ne veulent pas le croire. Nous allons donner une vie nouvelle à cette machine qui nous a coûté la peau des fesses et plus encore !

— Ces expressions sont terribles, Jean... Seulement, d'après nos gens de la N.A.S.A. et d'Edwards, votre S.S.T. est foutu, fini, trop vieux, usé, bon pour un musée, à la rigueur.

— Vos savants se trompent et tant qu'ils se tromperont, il risque d'y avoir des morts inutiles, comme celles de ces deux braves. Expliquez-le au Président. Il comprendra.

— Lui, oui, peut-être, mais cela n'avancera à rien. Le Pentagone lui fait peur. C'est tout juste s'il ose traverser les jardins.

— Nous ne transformons tout de même pas le Concorde en lance-bombes pour attaquer les Etats-Unis !

— On se fout pas mal de ce lance-bombes, de

toutes les bombes, Jean. Mais vous oubliez ceux qui se tiennent derrière le gouvernement de mon pays ; ceux qui font et défont les carrières ; qui placent les hommes politiques ; qui les écartent du chemin si ça ne va pas comme ils l'entendent. Ceux-là veulent savoir la vérité. C'est leur argent, leurs dollars qui sont menacés, ils s'en persuadent, je ne sais sur quelles informations. Crève le monde s'il le faut mais les patrons des « majors companies » ne perdront pas d'argent sans avoir lutté à mort.

— Terrible de vous entendre, Paul. Penser que ni vous ni les autres qui savent, ne ferez rien, sous le prétexte que la libre entreprise ayant forgé la puissance américaine il n'y a pas lieu de changer d'orientation.

— Vous avez tout à fait raison, mais, pourquoi votre gouvernement, puisqu'il est de gauche, n'a pas brisé les tentacules de l'hydre plongés jusqu'au fond de votre pays ?

— Bonne question, monsieur l'ambassadeur. Elle me tracasse fréquemment et je ne suis pas le seul. Je ne lui découvre jamais qu'une réponse : nous avons peur.

— Admettez alors que chez nous, certains aient peur également. Que dis-je aux journalistes ?

— Ce que vous voulez. La vérité. Pourquoi pas ?

— Ne plaisantez pas avec ça, Jean, je vous prie. O.K., nous venons de parler du prochain voyage de notre Secrétaire d'Etat et de la crise de l'uranium.

— Entendu.

Demeuré seul, Jean Dubois-Lancillon, ministre des Affaires étrangères, demeura un long moment assis derrière son bureau de palissandre aux mar-

queteries délicates, à contempler, sans la voir,
la tapisserie des Gobelins ornant le mur opposé.
Cette affaire Concorde ! Une regrettable erreur,
sans aucun doute, d'Arsène Carré. On allait s'en
mordre les doigts. Jusque-là, Américains et Soviétiques n'avaient usé que d'une courtoise insis-
tance pour chercher à savoir ce qui se tramait,
sous un demi-hangar, à Rangiroa. Mais cela changerait sous peu, si par malheur Paul Haynes avait
raison.

Concorde ! Une machine qui avait empoisonné
une génération entière et qui allait emmerder la
génération suivante. Un héritage de la droite, du
vieil homme au grand nez, aux grands pieds... qui
devait bien rigoler, depuis le nuage où il était,
de voir dans quelle aventure une de ses décisions
historiques lançait le navire France. A se demander si ce genre d'homme, mort, enterré, oublié,
n'en devenait pas plus dangereux ?

Pensivement, Jean Dubois-Lancillon tapota un
très beau poste téléphonique, cadeau de Youri
Yvanof, son collègue soviétique et se décida à
appeler. Il eut instantanément son correspondant
au bout de la ligne et s'en étonna. Enfin une
petite chance dans cette journée mal débutée.

— Tu es seul ?

— Euh...

— Liquide... J'attends.

— D'accord, un petit instant.

Jean Dubois-Lancillon se gratta le genou sous
la table puis l'entrejambe. Il allait falloir penser
à changer de slip, celui-ci commençait à déman-
ger. Jamais le temps de penser à rien. Toujours
couché à des heures impossibles.

— Oui... allô... c'est toi ? Bon... Paul sort d'ici.

— Ah bon. L'affaire Laiena ?

— Tout juste.

— Alors ?

— Ils râlent sec.

— Ils nous emmerdent, eux et leurs multinationales.

— Je veux bien. Je pense comme toi, mais que pouvons-nous leur répondre ?

— Que s'ils ne veulent pas que ça recommence, ils évitent d'envoyer leurs engins à basse altitude. Une question de principe. Nous sommes chez nous et nous n'envoyons personne renifler ce qui se passe sur leurs dix-huit terrains soi-disant secrets et certainement interdits. Arrange ça en termes diplomatiques.

— S'ils lâchent le morceau dans leurs médias cela va faire un bruit terrible.

— Je m'en fous.

— D'accord. Dis-moi, combien de temps cette affaire va-t-elle nous causer des problèmes ?

— Aussi longtemps que nous n'aurons pas obtenu le résultat escompté.

— Tu crois réellement que la machine pourra servir de vecteur ?

— Evidemment. Bon... à mon tour de poser quelques questions. Giao Nag Bao envoie des éléments que je te demande d'étudier et de me commenter. Pourquoi n'a-t-il pas encore reçu l'aval qu'il demandait ?

— Dalacarme a renâclé...

— Tu l'avertis, je lui accorde vingt-quatre heures, pas une de plus. Ensuite il retournera faire paître ses moutons du Périgord.

— Il va apprécier.

— Je suis très sérieux, Jean.

— J'ai compris.

— Tu verras à passer une note aimable à Ngorao sur la volonté du pays de l'assister pour relancer la démocratie. Nous avons une fiche du B.R.G.M. dont tu pourras prendre connaissance chez moi... à titre personnel.

— D'accord. Quand nous voyons-nous ?

— Pas ce soir, séance à l'Assemblée...

— Auras-tu besoin de moi ?

— Non. Je vais être accroché par Lamer sur les affaires sociales. Tiens-moi plutôt au courant des réactions de Washington. Sois aux aguets sur Moscou. Ils n'ont pas encore levé le doigt mais ça va venir.

— Bien... au revoir, Arsène.

— A bientôt.

CHAPITRE XI

Laiena...

Un lagon merveilleux dont l'eau hésite entre turquoise et émeraude, choisissant le plus souvent, comme une coquette, une couleur tierce mêlant l'une et l'autre et adoptant les marbrures du chrysocolle. Sous le vent, les cocotiers mirent leurs palmes paresseuses. Au vent, des rouleaux blancs et or brassent sable et coquilles avant de les étaler en plages somptueuses.

Le corail a bien fait les choses, durant quelques millions d'années, pour bâtir la ceinture extérieure, au large, autour de l'île née d'une surrection du sous-sol mouvant de l'océan. Cette ceinture s'étend à fleur d'eau, protégeant l'espèce de tranche de melon dont la partie médiane est occupée par une colline couverte de végétation.

La longue houle du Pacifique que rien ne vient arrêter depuis la lointaine mer de Chine ou les contreforts des cordillères américaines brise et bouillonne avant de s'épandre dans le lagon, vite absorbée par sa somnolence trompeuse.

Entre les cocotiers de la plage, plantés par l'homme pour fournir abri, ombre, fruits et discrétion, sont essaimés les bâtiments des laboratoires que les plantes grimpantes, issues du sable, camouflent encore mieux que les filets dont certains sont encore parés.

Tout au bout du croissant, à l'extrémité ouest de l'île, l'unité atomique fournissant l'énergie est isolée derrière sa triple enceinte de barbelés et de miradors. A croire que dans l'esprit de ceux qui les ont construits, le personnel occupant l'île n'a qu'une idée en tête, saboter cette centrale. En réalité, personne n'a jamais gravi l'échelle d'un mirador depuis la mise en route de l'installation.

Sur la partie la plus large de la tranche de melon a été taillée la piste en dur, à même le sous-sol fait de corail et de coquilles broyées. Elle est étroite et ne comporte que deux ridicules bretelles. L'une à l'est et l'autre au centre. C'est à l'extrémité de cette dernière, dans un seul hangar semi-ensablé, recouvert de végétation, qu'est abritée la moité arrière de Concorde. Jusqu'à l'emplanture de l'aile... Ne pointe, recouvert d'une housse et masqué par un filet bariolé, que le long cou de héron terminé par un bec qu'on croirait prêt à picorer.

A l'est, sous les inévitables cocotiers, sont dispersés les bungalows de la colonie, cernés par les hibiscus, les philodendrons, les cissus et autres gommiers de toutes les espèces possibles, sans oublier quelques bougainvillées. Allongées sur la plage donnant vers le lagon, les pirogues monoxyles à balancier unique sommeillent jusqu'à la fin du jour, quand enfin les baigneurs et pêcheurs vont chercher à quelques encablures du sable sec l'impression d'une absolue liberté.

Ce fut bien cette impression de liberté que ressentirent Julie de Corgé et ses amis durant les premières semaines de travaux, après leurs débarquements successifs. Pour la première fois de leur existence, ils se découvraient hors du temps, en un lieu inaccessible, comme avait dû l'être autrefois l'Eden, s'il avait jamais existé.

Ils ne prirent conscience de la surveillance dont l'île était l'objet qu'au cours des jours et des nuits qui s'écoulèrent, quand les travaux commencèrent à prendre une certaine dimension. L'aile ogivale était nue et les techniciens s'affairaient à installer les spires du Genon montées par Michel et Jacques et vérifiées dans leur labo interdit, par Julie et Noelle. Ils découvrirent la présence, au large, des grandes unités de la Marine, tournant sans interruption autour de l'île. Ils aperçurent dans le ciel les points brillants des avions d'observation russes ou américains, quelquefois avec leur traînée de condensation, d'autres fois sans rien. Et la nuit, ils apprirent à repérer le satellite géostationnaire, installé par les Américains et les passages des Cosmos, réguliers comme des métronomes.

De temps à autre, le brusque rugissement des réacteurs attirait dehors la plus grande partie du personnel et tous saluaient, comme des gosses au meeting aérien, le passage des intercepteurs de la Marine dont les pilotes devaient trouver là une petite compensation à leur service d'une désespérante monotonie.

Une chose était certaine, on ne voyait pas de militaires sur l'île. Mais le bruit courait qu'il existait une base pas tellement loin, au-delà de l'horizon. Le nom de Rangiroa avait été prononcé. Peu importait à Julie de Corgé et à ses amis, qui ne commencèrent à s'effrayer qu'avec du retard, quand, par les journaux amenés par les avions hebdomadaires, ils découvrirent que la formidable explosion qui les avait jetés hors des labos, un certain temps auparavant, avait été causée par le passage en supersonique d'un avion de reconnaissance américain en difficulté. La machine avait d'ailleurs explosé à courte distance de Rangiroa, tuant son équipage. Mais au fil des semaines, la presse faisait découvrir les nombreuses implications de cet incident, allant jusqu'à laisser entendre que la destruction de l'appareil pouvait être reliée à certains travaux secrets entrepris par la France dans le Pacifique.

Les journalistes n'en savaient visiblement pas plus, mais il était clair que les blocs commençaient à se poser des questions sur la présence de cet avion supersonique sur un atoll en plein Pacifique. Ils s'en posaient d'autant plus que leurs services de renseignements ne parvenaient pas à tirer au clair les raisons qui poussaient les Français à engager des dépenses hors de proportion avec leur malheureux produit national brut.

L'entourage des chefs de gouvernement des deux pays les plus puissants de la planète en vint à admettre, après échange d'informations plus ou moins tronquées, qu'Arsène Carré, aux abois, cherchait à faire prendre la grenouille française pour un taureau prêt à charger, mufle grondant.

Unanimes, les experts aéronautiques des deux pays conclurent, après des études magistrales, remarquablement documentées, illustrées de très belles photographies prises sous les angles les plus imprévus, que même si les Français décidaient de transformer tous les Concorde encore utilisables en vecteurs atomiques, ces engins bons pour la ferraille ne seraient dangereux que pour leurs équipages.

Mais aussi bien dans la nébuleuse des services de renseignements américains que dans son homologue soviétique, il y eut des gens réfléchis et dépourvus de passion pour estimer que les Français, malgré leur connerie et leur légèreté indécrottables, pouvaient bien avoir mis le doigt sur une vacherie susceptible de gêner considérablement leurs ennemis éventuels et plus encore leurs alliés naturels. D'où un certain nombre d'instructions précises envoyées par le monde de manière à ce que l'activité française soit mise sous surveillance permanente.

Il est évident que ces instructions furent prises au sérieux à Paris puis à Toulouse, quand déferla la vague des journalistes, photographes de presse, curieux, touristes à vélo, promeneurs endimanchés ou style scout international, clochards, trimards, industriels en maraude, inventeurs, commissions d'étude et même secrétaires d'ambassade en voyage de noces. Jamais, de mémoire de C.R.L., il n'y eut autant d'indiscrets à retirer du circuit par expulsion aussi discrète qu'impitoyable. Il fallut faire descendre de la Creuse, où elle était en réserve, une compagnie supplémentaire. Ce qui ne fit qu'exciter plus encore la curiosité des heureux qui passèrent à travers les mailles du filet.

Quelques inconnus de l'un ou l'autre pays disparurent sans laisser trop de traces. Des corps furent retrouvés dans les gaves ou quelquefois en montagne, rarement identifiables. Simples petites animosités de groupes antagonistes lancés sur le même os et se le disputant.

En dépit du rideau de protection dressé par les services français, les informations commencèrent à filtrer vers Washington et Moscou, sans compter Pékin et quelques autres capitales de la planète. On s'interrogea sur le nombre impressionnant de techniciens et d'ingénieurs motoristes s'affairant dans le hangar secret de Toulouse sur deux antiques Concorde remorqués jusque-là depuis leur aire de sommeil.

Les seuls à demeurer calmes et presque indifférents, furent les spécialistes de l'Air Force. Ils savaient, depuis qu'ils en avaient obtenu les clichés, que ce qui était accroché sous les réacteurs du supersonique était destiné à augmenter leur puissance tout en diminuant la consommation. Des turbos d'une conception entièrement nouvelle, percée des motoristes français... qui intriguaient à ce point la N.A.S.A. que de multiples équipes cherchaient à comprendre comment on pouvait coupler à un turbocompresseur de moteur à pistons à l'étage actif d'un turbocompresseur de grande puissance.

Moscou apprit ce que savait l'Air Force par un transfuge, un sergent qui portait chaque jour des plis ultra-secrets et prenait des photocopies à toutes fins utiles, en utilisant le plus vieux des trucs connus, la cocotte-minute. Quand il en eut assez de faire le messager, après avoir été convaincu par une ravissante fille blonde que sa place était aux Bermudes et nulle part ailleurs, il fourgua le paquet pour quelques centaines de milliers de dollars et disparut.

Rien ne filtra de cette regrettable affaire, mais l'Air Force ne se considérant jamais comme battue, se paya l'un des ingénieurs travaillant précisément sur les circuits de contrôle des réacteurs de l'ancien supersonique français. Cet honnête citoyen, au-dessus de tout soupçon, arrivait en fin de carrière et la retraite qui lui était promise n'avait rien de comparable avec la solide rétribution déposée en un endroit discret, hors de France, sur les bords d'un lac célèbre.

Il faut croire que le pauvre homme fut relativement maladroit, car après deux mois de loyaux services, il disparut lui aussi. Effacé. Gommé. Sans laisser la moindre trace. Mais non sans que les spécialistes de l'Air Force n'aient reçu confirmation de leurs craintes. Il s'agissait bien d'augmenter la poussée et de diminuer la consommation en plaçant une série de turbocompresseurs et de venturis en des points précis du circuit aval. Bref, une information relativement onéreuse mais essentielle.

Que les ingénieurs décortiquèrent, analysèrent, épluchèrent, confièrent en désespoir de cause aux ordinateurs qui rendirent leur verdict, à l'unanimité :

— Inepte !

Mais un ordinateur n'étant qu'une machine, ne peut se passionner sur un sujet. Pratt, Lycoming, Wright, pour ne citer qu'eux, poussés par l'Air Force, leur principal client, y mirent des centaines de personnes, toutes plus qualifiées les unes que les autres. Surtout quand les Soviétiques échangèrent un de leurs espions, capturé sur l'Hudson, contre une information recueillie à Paris et inexploitable par eux. A Toulouse, on montait des turbomoteurs spéciaux utilisant un mélange d'hydrogène et de kérosène. Ils tenaient cela d'un de leurs agents permanents, une femme, qui fréquentait les milieux les mieux placés de l'aéronautique française.

Les ordinateurs, après les ingénieurs, conclurent identiquement :

— Inepte !

Les recherches reprirent, en d'autres directions, jusqu'au moment où tomba la nouvelle, assez étonnante. L'un des deux supersoniques de Toulouse allait effectuer un vol d'essai après révision.

Plusieurs centaines d'appareils le prirent dans leur viseur, au décollage. Puis, trois heures après, à l'atterrissage. Pour les connaisseurs, cet avion ne comportient rien de plus que ceux qui avaient traversé les océans de la Terre durant quinze ans avec une régularité étonnante.

Et dans son bureau de béton, sous l'avancée du désert de Mojave, un des hauts lieux de l'aéronautique américaine, le colonel Dave J. Dawson, un as du renseignement, hocha pensivement la tête.

Incroyables ces Français ! Pour la première fois ils démontraient qu'ils pouvaient tenir un secret. Rien à espérer des photos que détenait la Centrale. Rien à retenir du vol de trois heures. Tout se passait à l'intérieur des moteurs...

Le colonel releva le menton pour fixer un point immatériel sur le mur de son bureau lui faisant face. Son regard bleu se perdit dans le vague, puis s'écarquilla, comme celui du spectateur de

films muets des débuts du cinéma, quand il aper-
cevait, avant le héros, les prémisses de l'événement créant l'attente angoissée, le rire, l'émotion
ou les larmes.

Pas de cinéma muet dans le bureau ultra-fonc-
tionnel du colonel Dawson mais un interphone
sur lequel il se pencha.

— Lee, je viens de terminer les analyses effec-
tuées à la suite du vol d'essai de Toulouse. Ma
conclusion est la suivante : le Concorde du Pacifique est prêt à décoller pour essais et ceux-ci
seront payants.

— Pourquoi pas ? fit le major Marshall sans
enthousiasme.

— Il faut intensifier notre surveillance là-bas.

— Bien. Mais ne penses-tu pas qu'il serait bon
de nous couvrir du côté du Q.G. ?

— J'aimerais autant ne pas mêler trop de gens
à cette affaire. Nous avons reçu une mission
blanc-seing. Elle n'a pas été annulée. Les fuites
sont plus à redouter que les erreurs.

— Il ne faudrait tout de même pas causer la
perte d'un autre équipage de la Reconnaissance
Stratégique. Ils ne le laisseraient pas passer.

— Si cela s'impose, je n'hésiterai pas. Mais
pour le moment, je crois inutile de tenter des
vues rapprochées. Il suffit de surveiller à portée
d'intervention. Un de nos radars volants doit être
en l'air en permanence, jour et nuit. Les recon-
naissances stratégiques devront être en alerte.

— Le Pentagone va hurler qu'on le court-cir-
cuite.

— Nous sommes couverts de ce côté. Je pré-

tends que le vol effectué par l'avion de Toulouse
était destiné à attirer les curieux pour permettre
un essai en grandeur dans le Pacifique.

— C'est une intuition, qui peut se révéler excellente, comme fausse.

— Je l'accorde. Un ordinateur ne peut pas tenir
compte de la rouerie ni de la rage des Français.
J'ai l'avantage de les bien connaître et de pouvoir
réfléchir, librement, à des petits détails infimes.
Je soupçonne Paris de nous mener en bateau. Ce
vol de Toulouse en est une confirmation. Nos gens
ont bien renseigné en précisant qu'ils ne découvraient rien d'anormal.

— Autrement dit, selon toi, ce vol est destiné
à attirer le beau monde vers Toulouse.

— Je suis persuadé de ne pas me tromper.
L'affaire du R.B. 911 H nous a fait perdre notre
lucidité. Nous avons conclu à l'inverse de la réalité. Nous avons supposé que les Français cherchaient à nous attirer sur Rangiroa et la petite île.
C'est faux... Là-bas est bien le nœud du problème.

— Moi, je veux bien, mais j'avoue ne rien découvrir de nouveau me permettant de déduire que
le Pacifique est désormais le seul et unique centre
d'intérêt.

— Désolé, Lee, je n'en démords pas. Je vais
alerter Lindon et la Marine.

— Que veux-tu faire avec celle-ci ?

— Obtenir que le « Nixon » et ses intercepteurs
se rapprochent de Rangiroa. Ils sont trop loin
pour une interception rapide...

— Tu ne vas tout de même pas descendre le
Concorde ?

— Non, mais tu sais, je serais assez content

de donner une leçon à leurs intercepteurs. Et de plus, je veux des photos, des vraies, des belles. Ce que nous découvrirons fera hurler, pas seulement à Washington. On ne doit jamais sous-estimer un adversaire et c'est ce que nous faisons depuis le début.

— Depuis quand les Français sont-ils nos adversaires ?

— J'ai ma petite idée là-dessus. Il y a ceux qui aiment les dollars et qui vendraient père et mère, femme et enfants pour en avoir plus. Mais il y a la masse. Le peuple. Dis-toi bien que ceux-là sont tout prêts à nous foutre une branlée mémorable si l'occasion se présente. Ils ne se contrôlent plus dès que tu évoques le capitalisme. Ils frisent l'attaque cardiaque au seul nom d'une des sociétés multinationales. Ils voient rouge quand on vante la libre entreprise, les pétroliers, les trusts, le profit ou même le dollar. Nous sommes responsables de la disparition du pétrole, de la faim dans le monde, de la faillite de la droite française, de celle de la famille, et j'en passe. Un peuple de miséreux qui tendent la main avec un gourdin caché dans leur dos.

— O.K., Dave, ne t'excite pas. C'est mauvais pour le cœur. Tu es le patron de la mission, tu fais donc comme tu l'entends. Personnellement, j'émets des réserves, non pas sur les déductions, mais sur ce que tu en tires. Je te suggère une fois encore de te couvrir du côté du Q.G. Nous ne pèserons pas lourd si l'amiral Moreland prend la mouche ou si un seul de ses 911 H est pulvérisé. Pour moi, tu prends un risque inconsidéré.

— Merci de ta franchise.

— Motivée par une simple considération. La perte du premier R.B. 911 nous a valu un avertissement. Un échec du même genre, complété par une fuite du côté des médias et c'est l'éjection pour incapacité. Mirna et moi avons trois enfants et ne nous sentons pas disposés à les sacrifier à la bande des « Majors ».

— Compris, Lee, bougonna le colonel Dawson. L'ennui, c'est que sans les « Majors » il n'y aurait pas de puissance américaine. Vu ?

CHAPITRE XII

Laslo V. Sercati remonta d'un geste machinal de ses doigts boudinés et couverts de poils noirs, la cravate de pure soie artificielle sortie d'une des usines du groupe. La porte automatique ouverte, il fonça, ventre en avant, vers son bureau géant.

Pas plus que les autres jours de l'année, il ne vit la gerbe de roses rouges déposée sur la table réservée aux visiteurs étrangers. Il négligea le fantastique spectacle offert par le dernier étage du World Trade Center Three et fit pivoter son énorme fauteuil avant de s'y installer. Il procéda alors aux différents réglages, inclinaison du dossier, du siège, dureté de l'un et de l'autre, amortissement de la rotation, puis enfonça de l'index droit un bouton blanc placé parmi d'autres sur l'accoudoir.

Le lecteur du télétype s'éclaira, la minuscule lampe rouge de l'interphone brilla, les voyants verts de la sécurité rapprochée apparurent, rassurants, et Laslo V. Sercati fut de nouveau conscient d'être le Président en exercice de la plus formidable multinationale de la planète : la General Electronic.

Un poste de responsabilité, délicat à occuper. Des décisions à prendre sans émotivité ni complexes, ce que d'aucuns traduisaient : sans scrupule. Sans cesser de lire les principaux cours de Wall Street apparaissant sur l'écran, il choisit au toucher un Corona's dans la caissette d'or placée exactement où il fallait pour y puiser sans allonger le bras et fit rouler le cigare contre son oreille, cherchant le délicat craquement certifiant sa parfaite condition.

Une allumette spéciale, garantie sans odeur ni cellulose, lui permit de tirer une série de bouffées créatrices de micro-incendies et une dernière aspiration, lente, amena le tabac au contact des muqueuses internes, stimulant le cerveau un peu engourdi.

Il chaussa les demi-lunettes à monture d'or, reposa la main vers l'accoudoir et pressa un second bouton pour interrompre le cours du journal de Wall Street. Rien d'intéressant ne pouvait le concerner dans la poursuite de cette lecture insipide. Le lecteur lumineux commença à présenter les messages sélectionnés par le personnel de haute qualification de la G.E., parvenus durant l'absence du Président.

Laslo V. Sercati laissa passer les neuf premiers sans réagir autrement que par de brefs battements du cigare mais la lecture du dixième entraîna un mouvement nerveux de l'index qui enfonça un troisième bouton sur l'accoudoir pour bloquer le lecteur sur ce texte. Les dents jaunâtres, et quelque peu artificielles, du magnat meur-

trirent le Corona. Puis la main gauche attira d'une
quinzaine de centimètres le boîtier laqué rouge
de l'interphone et la bouche lippue, déformée par
les rouleaux de tabac confectionnés sur des cuisses en sueur aboya :

— Juny !

— Oui, monsieur ?

— Venez immédiatement !

La délicieuse Juny Battlehead se matérialisa
devant la porte soudainement éclipsée donnant
sur son bureau et approcha, sourire bien accroché
à une bouche aussi parfaite que la silhouette
générale, le regard attentif derrière les lunettes à
fine monture de platine.

— Juny, il me faut Pat et Barnes aussi vite
que possible dans ce bureau. Code d'urgence et
discrétion absolue.

— Le président Carver est rentré à Seattle et
je vais vérifier si le président Jaysmith est au
siège de Lockheed... Doivent-ils se présenter
ensemble ou bien les recevrez-vous dès leur
arrivée ?

Laslo V. Sercati hésita une fraction de seconde.
Incroyable l'à-propos de cette petite !

— Avertissez-moi dès l'arrivée de l'un ou de
l'autre. Qu'on les cherche où qu'ils se trouvent,
Juny, bien compris ?

— Oui, monsieur, est-ce tout ?

— Merci, oui.

La jeune femme pivota sur ses très hauts talons
et sa jupe très courte, exigence absolue du Président de la G.E. suivit le mouvement des hanches
avec un temps de retard et ne cessa de tourner
qu'avec un autre temps de retard.

Les yeux globuleux, striés de veinules brunâ-

tres suivirent cette charmante oscillation mettant
en valeur des jambes superbes et une pensée,
sans aucun rapport avec ce que le lecteur du
télétype offrait, traversa brièvement le crâne presque chauve d'un des hommes les plus puissants
et les moins connus de la Terre.

— Ces cuisses ! Dire que je pourrais !... Mais
où ai-je la tête ce matin ? Ces fils de putes de
Français ! Sont comme des enfants de cafards !
Plus on en écrase plus il y en a... Connie ! aboya
de nouveau la voix rauque au-dessus de l'interphone laqué rouge.

— Oui, monsieur ?

— Obtenez la communication avec le Vice-Président Lonsdale. Je le crois à Washington en ce
moment.

— Il se trouve à Philadelphie, hôtel *Atlanta*,
suite 13, jusqu'à demain midi. Dois-je appeler ?

— Evidemment, Connie !

— Entendu, monsieur.

Laslo béa un instant, téta son cigare éteint,
l'arracha de ses lèvres d'un air dégoûté et l'écrasa
dans son cendrier de quartz rose. Miss Connie
Footlebay n'avait pas les fesses aussi bien faites
que Juny mais elle pouvait suivre à la trace,
heure par heure, minute par minute, les plus
grands personnages de la planète... tout au moins
ceux qui, dans le tas, pouvaient intéresser son
remarquable patron.

Meilleure que la secrétaire particulière du Président, jugea le magnat en s'emparant d'un nouveau cigare, allumé avec le même cérémonial et
planté dans le premier tiers gauche de la lippe.

Il gronda, grommela des menaces imprécises,

relut avec attention, presque en épelant puis attendit, les yeux mi-clos, trois rides marquant son
front aussi jaune que le reste de sa face lunaire.

— Le Vice-Président Lonsdale à l'appareil,
annonça Connie.

— John ?

— Oui, Lash, qu'y a-t-il de cassé ?

— Vous le demandez ? Vous avez bien reçu
les nouvelles de notre ambassade à Paris et les
commentaires de l'Agence que corroborent les
renseignements du Pentagone. Cette histoire est
dangereuse, John, et j'aimerais que vous en soyez
persuadé.

— Ecoutez, Lash, je ne sais pas ce que vos
spécialistes, analystes et conseillers sont parvenus
à vous faire croire, mais les nôtres, ceux de la
Présidence, au moins aussi bien informés, n'attachent pas la moindre importance à cette affaire.
Elle est à l'échelle de la France, ridicule. Que
voulez-vous redouter d'un pays, vieilli, incapable
de se gouverner, qui a choisi une fois pour toutes
la Gauche au pouvoir, qui n'a plus, ou presque,
d'énergie depuis les embargos successifs ?

— Eh bien, moi, je crains, parce que je réfléchis et que mon état-major ne sous-estime pas
l'adversaire comme le vôtre le méprise. Les Français sont des cons puants, bouffeurs de fromage
et buveurs de je ne sais quoi. D'accord. Mais ils
disposent de certains des plus grands cerveaux
de ce globe que nous voudrions nôtres. Des gens
que nous n'avons pas été foutus d'acheter et qui,
plutôt que d'être esclaves du dollar, comme ils
disent, se donneraient gratuitement au rouble.
Et ça, vous ne pouvez le nier. Or le S.S.T. nous

a coûté, que ce soit à notre filiale Lockheed ou à Boeing que nous contrôlons, la plus grande partie des dividendes du groupe pour les dix années à venir. En supposant que nous sachions tirer la quintessence de cette machine fabuleuse et que nos ingénieurs soient seulement à moitié aussi malins que ceux qui ont conçu Concorde et ont fait voler avant eux une machine du troisième millénaire. Toutes les informations recueillies par mes gens confirment que quelque chose est en train de se passer en France et dans le Pacifique. Officiellement, sous une couverture de mystère, de secrets mal gardés et d'autres qui le sont bien, de rumeurs et de fausses rumeurs, on modifie les anciens supersoniques arrachés les uns après les autres à la ferraille, pour en faire des bombardiers. Quand je dis officiellement, je dois préciser que c'est ce que Paris veut que nous imaginions. Et mes ordinateurs, ceux de Bœing, Lockheed, Lycoming et Pratt refusent cette argumentation idiote. La France n'a ni les moyens ni le besoin de transformer des tas de ferraille en cercueils pour ses équipages. D'autant qu'il ne reste en tout, Grande-Bretagne comprise, que quatorze exemplaires de la merveille... Je me demande donc si vous savez la raison pour laquelle un budget supérieur à celui de la Défense Nationale entière a été attribué à ce qui se mijote sur cette île ridicule du Pacifique. J'aimerais savoir également pourquoi la C.I.A. ou une autre de vos institutions ont été incapables d'infiltrer un seul de leurs agents sur place ?

— Mon cher Lash, je peux seulement vous assurer que le Président n'est pas du tout axé sur les prétendus tours de force des Français mais il est très préoccupé par la sécheresse dans l'Ouest et par la diminution rapide de nos réserves de l'Alaska.

— Décidément, je crois indispensable de réunir au plus vite les véritables responsables de l'économie de ce pays. Si le gouvernement est incapable de prendre les mesures nécessaires pour percer à jour les manigances des Français, nous allons agir de notre côté, John, et vous savez que ce ne sera pas de la manière douce. Un de nos Lockheed militaires à hydrogène a été abattu sans sommations et vous n'avez pas été capables d'obtenir réparation... de la bonne manière. Rien n'empêche un appareil un peu différent de laisser tomber par inadvertance ou accident regrettable un engin tout à fait opérationnel sur le Centre d'Etudes du Pacifique. Qu'en pensez-vous ?

— Je pense que le Président n'aimera pas du tout votre manière d'envisager les choses, Lash.

— Possible. Mais pas plus le Président que vous-même n'oublierez que sans les « Majors » vous n'existeriez pas. L'un serait toujours épicier dans l'Ouest et l'autre propriétaire malheureux d'une chaîne de motels. Vu ? Il y a cent cinquante milliards de dollars engagés par le groupe dans le supersonique Boeing-Lockheed. Le gouvernement couvre une moitié. Le reste est à notre risque. Je flaire un coup fourré des Français et je n'aime pas ça. Nous ne recommencerons pas la partie perdue de notre moyen-courrier.

— Mon cher Lash, je regrette, mais vous vous laissez intoxiquer par une partie de votre entourage. Comment voulez-vous qu'un gouvernement aux abois, dirigé par un homme dont toute la vie a été marquée à gauche, qui se vante d'être le plus socialiste de tous les gouvernements socialistes, privé de crédits, avec un chômage énorme, plus de pétrole pour ses centrales thermiques, un charbon que les mineurs refusent d'extraire, une population lasse... comment voulez-vous, dis-je, qu'il soit possible d'escompter de ce gouvernement un effort comme celui que vous laissez entendre ? La France va basculer, avec l'Italie et l'Angleterre, probablement la péninsule ibérique, dans une période d'anarchie rappelant les premiers temps des Soviets. Il faut seulement espérer un sursaut, un jour, dans l'avenir, et laisser pisser !

— Vous dites cela avec autant de détachement que vous parleriez de la faillite de votre marchand de journaux.

— Vous faites erreur, la faillite de mon marchand de journaux me causerait du souci. Celle de ces pays ingouvernables du bassin méditerranéen et de l'Europe me laisse froid. Ils sont devenus inutiles dans le contexte industriel mondial. Nos intérêts vont vers les sources de matières premières, vers les réserves d'énergie, le Président vous en parlera prochainement. Nos économistes se trompent rarement...

— La France, l'Italie, comme la Grande-Bretagne sont les berceaux de notre civilisation, John, je n'oublie pas mes ancêtres sardes !

— Les Lonsdale furent petits besogneux des rives de la Tamise, Lash, et l'avenir de cet égout croupissant m'indiffère. L'Europe crève d'impuissance, de ses combats tribaux, de ses rêves imbéciles, de son excès de matière grise, de sa paresse congénitale. Laissons-la crever. En paix, de préférence. D'ailleurs Moscou le sait si bien qu'il n'est même plus question pour les Soviétiques de chercher l'occupation par la force, ils seraient obligés d'ajouter la ruine de ces économies à celle de la leur. Nous ne misons pas un coin sur la survie de ces Etats. Plus tard, quand la crise sera passée, nous verrons. Une politique réaliste, Lash, comme celle de nos alliés du groupe du Nord.

— Parce que vous croyez que si les Français, Italiens et Anglais basculent dans le chaos, l'Allemagne et les Scandinaves et autres Bataves ne suivront pas ? Vous vivez dans l'irréel. Vous n'avez pas une ombre de psychologie... Bon... Ce n'est pas le moment de faire de la géopolitique. Une seule chose à la fois. Qu'allez-vous faire pour tirer à jour cette affaire Concorde du Pacifique ?

— Officiellement, rien, je regrette, Lash.

— Dans ce cas, avertissez le Président que nous, les « majors », prenons la chose en main.

— Je vous conseille vivement de ne rien tenter sans l'accord de la Maison-Blanche, recommanda le Vice-Président d'une voix plus dure, mais laissant deviner une réelle inquiétude.

— Mon pauvre John ! Les élections doivent avoir lieu dans trois ans. Rendez-vous compte... trois petites années. Réfléchissez-y et rappelez-moi. Au revoir.

Laslo V. Sercati coupa nerveusement la communication et se carra dans son fauteuil, la lippe résolument mauvaise, ses yeux tout ronds allant d'un angle du salon géant à l'autre sans plus les voir. Sales petits cons de politiciens. Comme s'ils

étaient placés aux principaux rouages de l'Etat
pour aller contre leurs véritables protecteurs !
John Lonsdale ! Ne se sentait plus pisser depuis
que le *Times Magazine* l'avait bombardé l'homme
le plus populaire des Etats-Unis pour avoir tro-
qué sa compact pour un buggy à deux chevaux.

Quant au Président, il passait le plus clair de
son temps à comparer les mérites des lentilles,
du maïs ou des nouilles des différents Etats de
l'Union. Quand il lui restait quelques heures, il
cherchait à étouffer les scandales familiaux. Belle
connerie de l'avoir fait élire, celui-là, sans avoir
réfléchi que deux filles jumelles et ravissantes de
quinze ans, l'année du lancement de la campagne,
deviendraient des jeunes filles baisables, ô combien ! l'année suivante. De véritables putes en
chaleur. A se demander comment elles n'étaient
pas encore vérolées !

Mais comment tout prévoir ?

Pour le moment, agir, parer au coup dur pres-
senti.

Quand on a des origines sardes, méditerranéennes, on flaire ce que ces lourdauds descen-
dants de Bataves, d'Angles ou de Germains sont
incapables de découvrir. Arsène Carré, acculé ?
Peut-être. Mais dans son pays natal, l'Auvergne,
il y a toujours des solitaires, des sangliers...
Acculés, ils sont sacrément dangereux ! Laslo
serra les lèvres sur son Corona et en tira une
longue, très longue bouffée.

Pas plus la France que l'Italie ne seraient foutues, même si elles traversaient une période de
chaos. Il suffisait d'un peu de chance, de malice
ou d'intelligence de quelqu'un, au moment pro-

pice, pour que la situation se renverse. Il en avait toujours été ainsi au cours des âges. Et le Président de la General Electronic se souvenait de ses études secondaires et supérieures.

Il étira un sourire, laid, mais de sympathie pour ces vieux peuples dont il était issu, lui. Puis il étudia méthodiquement les moyens de les combattre à mort, s'il le fallait.

CHAPITRE XIII

Françoise se redressa d'un coup de reins. On venait de frapper à la porte du bungalow. Elle glissa vers le cabinet de toilette tandis que Lucien, la taille ceinte d'une serviette éponge bleue, allait ouvrir le battant.

— Un pli urgent, fit une voix indifférente.

— Merci.

Porte refermée, Lucien Gallois eut quelques instant de noir total après l'éblouissement du plein soleil. Quand il fut capable de déchiffrer l'en-tête il haussa les sourcils et appela à mi-voix.

— Fran, viens voir par ici, voici du nouveau.

Quelques instants plus tard, penchés sur les séries de lettres majuscules livrées en vrac, ils faisaient tourner leur grille réglée suivant le code prévu.

Après lecture des instructions de Paris, ils parurent soulagés. Ils relurent plus posément le texte transcrit avant que le briquet de Lucien ne transforme le pli, l'enveloppe et la traduction en cendres qui disparurent dans la cuvette des cabinets.

— Tout semble aller pour le mieux, commenta Françoise, mais je doute que nous parvenions à presser le mouvement. D'après Laurent, les équipes soutiennent la cadence prévue. Vouloir faire l'impasse de vérifications indispensables serait catastrophique. Le rapport technique est clair, la machine est fatiguée. A mon avis, il eût été préférable de convoyer ici deux avions au lieu d'un. Le moindre pépin et tout est foutu. Tu ne penses pas ?

— Je suis exactement du même avis mais les liasses expédiées chaque semaine à Toulouse vont permettre le montage le plus emmerdant, celui des spires. J'espère que le patron suivra nos conseils.

— Ma seule crainte, actuellement, c'est que quelque chose aille de travers et que les Quatre prennent la mouche, pour une raison quelconque...

— Pourquoi veux-tu qu'ils abandonnent au moment de réussir ?

— Tous les idéalistes sont des êtres éminemment dangereux et irrationnels. Souviens-toi des avertissements de Laurent au sujet de Julie de Corgé. Elle lui paraît toujours sur le qui-vive, persuadée que leur travail est épié, copié, surveillé, non seulement dans le but de protéger mais dans celui de court-circuiter leur groupe. Les notes d'écoute sont claires à ce sujet. Ils font mieux que suivre les conseils que nous leur avons donnés, ils se méfient de nous. J'en ai rêvé cette nuit ! Suppose que l'un d'entre eux découvre les micros ou la preuve que nous disposons des enregistrements et ils sont capables du pire. J'en suis convaincue. Jacques Donat est le plus dangereux.

Il se prétend d'extrême gauche mais ses tendances sont nettement anarchisantes.

— Il a suffisamment à faire avec sa donzelle à sauter pour ne pas emmerder le monde. Alain se plaint de devoir quitter le casque durant la sieste. Il ne peut plus tenir. Il m'a demandé sérieusement de remplacer Dubosc par une de nos filles, seul moyen, selon lui, de tenir l'écoute.

— Marrant, je croyais Julie de Corgé plus brûlante que sa copine.

— Eh bien, non. Si quelque chose se passe, c'est discret. Vagues soupirs, selon Alain.

— Elle sait se contrôler, voilà tout. Et si elle se sait surveillée, cela peut également lui couper ses effets.

— Oui... Il n'empêche que je ne suis toujours pas parvenu à savoir la nature de la sécurité qu'ils ont prévue pour leur appareillage. Laurent ne semble pas mieux placé que nous et pourtant il y passe ses journées. Si nous voulons savoir quelque chose il faudra en arriver à analyser les boîtiers des émetteurs... autrement dit à en avoir un sous la main, de gré ou de force.

— Tu sais ce que cela risque d'entraîner. Ils n'accepteront jamais.

— J'étudie le problème... Il est évident que s'ils continuent à coucher avec et à ne pas quitter leurs saloperies même pour le bain, nous aurons du mal. Mais à la limite, quand tout sera au point, rien n'empêchera d'agir un peu plus fermement.

— Pas d'imprudence ni de précipitation. Nous avons affaire à des gens qui savent réfléchir et nous l'ont prouvé. Pour le moment, une seule chose compte, que le Genon fonctionne et que le

Concorde ne se casse pas la gueule. Paris atten-
dra.

— Je n'aime pas ce que le patron laisse entendre à propos de la Sécurité Militaire. C'est une
erreur de leur avoir communiqué l'identité de
nos gens.

— Ils n'ont pas eu besoin qu'on la leur communique, ils ont des informateurs au C.N.R.S. Que
peuvent-ils faire ?

— Nous emmerder par des prises de position
genre : la Loi, le Droit, la Sécurité Nationale,
Secret Militaire et autres conneries qui peuvent
tout faire capoter.

— Le patron va se démerder à les bloquer, sois
tranquille.

— Je l'espère.

*
**

A moins de deux cent cinquante kilomètres de
l'endroit où Lucien Gallois avait installé son poste
de commandement, dans un des bungalows abandonnés par l'industrie hôtelière depuis la disparition des touristes, Noelle, Julie et les deux hommes relisaient la séquence des essais mise au
point en étroite collaboration avec le chef pilote,
Marc Doublet.

Dès leur première rencontre, sur la piste même
de Laiena, ils avaient sympathisé avec cet homme
massif, aux cheveux gris, aux yeux très bleus, qui
avait repris du service comme volontaire après
avoir piloté de longues années le supersonique
blanc aux couleurs d'Air France. Avec lui un autre
ancien des Concorde suivrait les essais, Yves
Delapril, et deux copilotes, nettement plus jeu-

nes, issus de l'aviation militaire mais n'y faisant jamais allusion, Dick Chenal et Pierre Nègre.

Cette équipe n'avait pas quitté la machine avec laquelle il avait fallu sauter péniblement d'aérodrome en aéroport, jusqu'à Laiena, sans jamais franchir le fatidique mur du son. Et depuis que l'aile était dépouillée d'une partie de son revêtement, les pilotes suivaient, d'heure en heure, le contrôle méthodique des points d'attache, des nœuds de vibration, des rivetages, effectué par des techniciens hors de pair. Munis d'appareils bizarres, ces hommes et ces femmes passaient le plus clair de leur temps dans des positions acrobatiques, le visage collé aux viseurs de leurs détecteurs de criques, et pas du tout tentés par la bagatelle, malgré la tenue extrêmement légère imposée par la chaleur infernale régnant sous le hangar.

Mais depuis quelque temps, les ingénieurs et les techniciens commençaient à reprendre confiance. Pas un seul endroit de la machine, auscultée sur toutes les coutures, ne présentait de faiblesse, contrairement aux rapports qui l'avaient condamnée à la relégation. Et les spires du Genon étaient fixées par des clips suivant les dessins approuvés par les trois responsables du projet, Julie de Corgé, Laurent Chavaux et Marc Doublet.

N'étant pas parvenus à moduler l'effet écran des spires, Julie et ses amis avaient choisi de multiplier le nombre de celles-ci et de les disposer en des endroits exactement symétriques de la structure, afin de pouvoir diminuer le poids total de la machine par paliers successifs, sans nuire au centrage très délicat. Seule inconnue qui effrayait les jeunes gens : que se passerait-il dans

ce squelette déformable quand certains de ses
éléments deviendraient impondérables tandis que
les autres seraient soumis à l'attraction de la
gravité ?

Les ingénieurs assuraient que rien ne se passerait, l'effort maximal ne pouvant être supérieur
à un G. Pour eux, le problème se situerait au
niveau du pilotage. Malgré sa pureté, l'aile était
faite pour une configuration de vol bien précise,
entre deux limites de poids. Le centrage était
perpétuellement corrigé pour contre-balancer la
consommation de kérosène. L'ensemble avait fonc-
tionné parfaitement grâce aux commandes électriques centralisées. Ce serait encore à celles-ci,
complétées par un mini-ordinateur capable de
faire varier sur demande leur sensibilité, de cor-
riger les changements d'assiette durant les variations de poids imposées par le Genon.

Marc Doublet aussi bien qu'Yves Delapril affi-
chaient d'ailleurs une confiance sereine. Depuis
qu'il devenait chaque jour plus clair que le Delta
Tango aurait pu voler à Mach 2,2 durant des
années sans révision, ils ne s'intéressaient plus
qu'à la définition exacte des essais.

— Eh bien... je crois qu'il faut décider, Julie...
nous sommes prêts... Laurent a terminé et attend
pour envoyer ses équipes au repos... Nous avons
dix-sept jours de retard sur les prévisions, mais
c'est peu, compte tenu des travaux effectués. Si
tu te sens en forme... nous effectuons un premier
vol demain...

— Marc...

— Et alors ? Tu ne te dégonfles pas, petite...
Tout ira bien. Tout le monde a joué le jeu, à
fond, avec son cœur et ses tripes, personne ne

peut en douter. C'est à nous de prouver que ce n'est pas pour rien. Le Genon doit donner une vie nouvelle à Concorde... et pour ça, je suis prêt à payer le prix qu'il faudra. Nous sommes tous d'accord là-dessus.

— Demain, Marc, d'accord.

— Bien entendu, nous décollerons sans l'aide du Genon. La machine sera lège, avec un tiers de pétrole et centrage arrière. Nous effectuerons une montée normale, avec les quatre réacteurs, les gros et les petits. En principe, nous ne devrions pas avoir de problème. A 40 000 pieds, croisière, poussée maxi. Nous ne passerons probablement pas Mach 1. Si tout va bien, nous effectuerons un premier essai Genon... ensuite, eh bien, retour, pétrole et second vol... tant que ça marche, on essaie... pas de demi-mesures... Ce sont les consignes que nous avons tous acceptées... en connaissance de cause... Paris est formel, nous devons aller aussi loin que possible sans mettre en danger l'expérimentation mais en négligeant la plupart des coefficients de sécurité du C.E.V. Voilà. D'accord, Julie ?

— D'accord, Marc. Je ne veux pas paraître tout à fait stupide, mais toi, à titre personnel, que penses-tu de l'alliance Concorde-Genon ?

— Ce ne sont pas des phrases que tu veux... Ce n'est pas pour toi que tu as peur. Tous ensemble, nous allons rendre à ce brave Delta Tango le domaine qui est le sien. Je te l'affirme. Je ne suis pas un suicidaire. Et si je ne croyais pas pouvoir ramener le taxi à terre, je ne décollerais pas. Voilà. Nous décollerons à l'aube, en air portant. Le vent sera favorable et beaucoup de braves gens seront autour de notre île pour nous regarder et au besoin nous repêcher.

— D'accord.

— Nous participons au vol, bien entendu...

— Evidemment. Mais seulement deux d'entre vous, à votre choix. Les ordres sont impératifs, pas plus de deux... Qui sera du premier vol ?

— Michel et moi. Le jour suivant Noelle et Jacques et ainsi de suite. De temps en temps il est possible que nous allions Noelle et moi, laissant les hommes se débrouiller seuls...

— C'est votre problème. En ce qui me concerne, je n'ai rien à ajouter. Je passe la journée au lagon. J'ai découvert un nouveau coin pour la dorade. Je me permets de vous recommander d'en faire autant. Quelques heures de vol, ce n'est pas grand-chose, mais en essais, cela peut éprouver les nerfs. Je vous donne rendez-vous à 4 heures précises demain en bout de piste.

Ils suivirent le conseil mais avec un peu de retard, préférant laisser passer les heures les plus chaudes. Vers 16 heures, Jacques et Michel commencèrent à embarquer dans leur grande pirogue les palmes, les masques, les fusils sous-marins, la glacière portative. Les deux jeunes femmes attendirent le dernier moment pour embarquer, portant les émetteurs Genon dans les sacs étanches. Ceux-ci furent accrochés par les courroies aux traverses de la pirogue et cette dernière fut poussée à la mer.

Michel hissa la voile triangulaire, Jacques se mit à la pagaie arrière servant de gouvernail et l'embarcation s'éloigna rapidement du rivage.

— Emmenez-nous au plus près de la barrière, demanda Julie au bout d'un moment.

— Si loin ? s'étonna Michel en regardant vers le large les rouleaux du Pacifique blanchir le récif, à perte de vue.

— Le plus loin possible, insista-t-elle.

— Tu veux pêcher du tout gros ?

— C'est exactement ça.

Une heure plus tard, le grondement des vagues géantes et le bruit plus confus de froissement de l'épaisse couche mousseuse s'étalant sur le corail et venant se dissoudre dans la limpidité du lagon, domina le grincement des poulies de bois et le frottement de la pagaie gouvernail.

— C'est ici que tu voulais venir ? demanda Michel en se penchant vers Julie.

Elle ouvrit les yeux, se redressa en s'aidant du plat-bord, regarda le rivage, si loin qu'on ne voyait plus la plage de sable et hocha affirmativement la tête. Elle s'assit et fit signe à Noelle de venir près d'elle.

— Tu descends cette voile, Michel, on se laisse dériver doucement, le courant nous écarte de la barrière...

— Entendu...

La voile affalée, les deux hommes commencèrent à farfouiller dans les palmes et les fusils sous-marins. Julie et Noelle ôtèrent les bouts de tissu censés voiler quelques centimètres carrés de leurs corps et plongèrent pour se rafraîchir. Mais remontèrent aussitôt pour s'installer de nouveau au fond de la pirogue.

— Ecoutez-moi un peu, fit Julie avec un geste de la main pour convier les deux hommes à écouter de plus près. Vous ne braillerez pas et vous garderez la tête basse pour parler. Il va falloir prendre garde, de plus en plus. J'ai la certitude que nous sommes surveillés, mais surtout espionnés, depuis notre arrivée ici. Je n'ai rien dit jusqu'à présent pour ne pas poser de problèmes. Mais avec les premiers vols, nous allons devenir vulnérables.

— Tu sais, peu importe que nous soyons écoutés. Nous n'avons jamais parlé de rien.

— Du Genon, certainement pas, mais de nos idées, de nos intentions, de nos peurs, de nos désirs... si. Lucien et Françoise avaient averti. Mais je ne croyais pas qu'on oserait nous placer vingt-quatre heures sur vingt-quatre sur écoute. Nos bungalows sont truffés de micros. Pas plus grands que des punaises. Le centre d'écoute est donc tout proche. Probablement du côté des ingénieurs ou des techniciens. Il est possible que ces gens disposent de ce genre d'appareils ultra-sensibles, capables de capter une conversation à un kilomètre. D'où notre petite promenade... le bruit de la mer couvrira... du moins j'espère. Je veux que nous nous mettions bien d'accord sans avoir besoin d'y revenir. Ils vont chercher à nous piquer le Genon. Pas tellement pour se débarrasser de nous, mais pour le principe, je devine cela. Nous les exaspérons parce que nous refusons de leur faire confiance entièrement. Il faut savoir si nous sommes décidés à empêcher quiconque de connaître le secret complet, jusqu'à nouvel avis, ou si nous cédons à la première tentative d'intimidation.

— Quelle est ta position ? demanda Jacques, abruptement.

— Inchangée. Nous parviendrons à faire face si nous formons un bloc. Mais je ne veux pas être seule à prôner la résistance. Nous sommes qua-

tre... six même en comptant Robert et Madeleine...
La volonté, ou l'entêtement d'un seul ne peut
engager l'avenir de tous.

— Bien. Tu as fait ton petit discours. Le mien
est simple. Pas question de céder quoi que ce
soit. Question de principe. Je prétends que nous
pouvons aller très loin et voir les plus puissants
venir supplier qu'on leur donne des bribes et pour
ça, je suis prêt à **tout**.

— Je n'ai rien à dire, fit Noelle avec un hochement de tête négatif. Je continue à croire, comme
toi, Julie, que nous devons tenir bon.

— Michel ?

— Toi c'est moi... moi c'est toi.

— Merci... Sommes-nous d'accord pour aller,
réellement, **jusqu'au bout** ?

— Tu veux dire... jusqu'à refuser d'utiliser nos
émetteurs... jusqu'à se faire crever la paillasse ?
insista Jacques Donat. Moi, je réponds oui. Mais
comme toi je laisse chacun prendre son souffle.
La vie... c'est unique. Quand on passe de l'autre
côté, on ne sait pas ce qu'on va découvrir...

— Et s'ils veulent prendre les émetteurs par
la force ? demanda Michel.

— Nous n'avons rien à opposer. Si ce n'est refuser de leur indiquer comment ça fonctionne en
imaginant qu'ils auront du mal à le découvrir et
que si nous sommes en vol... personne, jamais
plus, n'y parviendra.

— Moi, je n'ai pas envie de crever, affirma
Noelle. Je suis heureuse pour une fois et même
si Jacques a le pire caractère, il me convient.
Mais je ne me laisserai pas avoir et je suis tout
à fait capable d'avertir ces messieurs que s'ils
cherchent à nous faucher le Genon je ramène tout

à zéro. Marc semble craindre surtout que ça arrive en supersonique. Il prétend que si le poids revient brusquement de moins de dix à plus de cent trente tonnes, la machine changera brusquement d'assiette et se disloquera presque instantanément.

— Bien, en fait, nous sommes d'accord. Pas envie de crever pour rien mais pas question de laisser le Genon à tous les requins qui le guettent, conclut Jacques Donat.

— Nous sommes quatre contre le monde entier. Robert l'avait souligné, rappela Michel avec amertume. Et quand le ciel est bleu, que la mer est tiède, on se demande si on aura un jour le courage de tenir jusqu'au bout. Il faut être franc.

— Nous ferons pour le mieux. Je ne crois pas que nous devions préparer le premier vol de Concorde comme un enterrement, déclara Noelle. Nous essaierons de garder notre bien et de nous faire aider pour y parvenir. Je suis de l'avis de Michel, quand je regarde ce ciel et cette mer, je pense tout à fait à autre chose qu'à mourir pour une idée... j'ai envie de vivre et d'aimer... Jacques, abandonne cet air de martyr et si tu veux faire une découverte, c'est le moment. Passe les palmes, Michel... Le masque... merci... A tout à l'heure...

Jacques rejoignit la jeune femme, aussitôt les palmes chaussées et leurs têtes proches un instant s'écartèrent pour une première plongée.

— Julie, fit Michel sans élever la voix.

— Qu'y a-t-il ?

— Je ne veux pas... je n'accepte pas ce que tu as laissé entendre pour défendre le Genon. Je t'aime... et la vie vaut toujours d'être vécue.

— Tu as raison. Nous ferons bloc... Ne t'inquiète pas, il est juste nécessaire de faire le point de temps à autre.

Depuis le réduit qui leur était affecté au sommet d'un des bungalows les observateurs coiffés de l'énorme casque d'écoute haussèrent presque en même temps les épaules.

— Rien à foutre, maugréa Dubosc en relevant les macarons. Sont trop loin de nous et trop près du récif.

— Tu ne trouves pas bizarre qu'ils aient choisi ce coin aujourd'hui ? Je ne me souviens pas qu'ils y soient jamais allés, s'inquiéta Alain Meneur.

— Je n'en sais rien et je m'en fous ! On est là à suer comme des cons, pendant qu'ils s'ébattent, comme on dit. On écoute, on observe, mais pour les analyses et commentaires que le Centre se démerde.

— Le soleil baisse... je l'ai presque dans la gueule... On dirait que la fille qui nage a un poisson...

— Oui, t'as raison... Un beau... Dis donc, elle est à poil, comme d'habitude on dirait.

— On peut pas voir, tant qu'elle est dans l'eau...

— Tu ne l'as pas vue plonger ?

— Ouais... n'insiste pas... Ils rigolent et on n'entend même pas leurs cris ! Si ce n'est pas malheureux ! Et l'autre gland qui voulait que précisément aujourd'hui on se distingue en ne les quittant pas d'un instant ! Mon zob !

— Regarde la rouquine debout... Elle est foutrement bien roulée quand même !

— Tu ne vas pas te branler, non ? C'est une bonne femme comme les autres. Un petit format...

— Moi, je lui mettrais bien quelque chose.

Bon... voilà l'autre qui repique avec son mâle. On ne les voit plus. Mais... dis donc... regarde un peu la pirogue ! Qu'est-ce qu'ils font ? Je me disais bien qu'il y avait une raison pour qu'ils aillent si loin... Ils veulent baiser que je te dis...

— Et alors, c'est leur droit, non ?

— Merde de soleil, on voit rien... La salope ! Elle lui taille une pipe, à tous les coups ! Salingues, va !

— Mais fous-leur la paix, grommela Alain, philosophe, en se frottant les yeux rougis par la réverbération.

Dans les écouteurs, un vague cri franchit la barrière des vagues.

— S'ils nous regardent, fit Julie à mi-voix, ils vont croire des choses.

— S'ils pouvaient avoir une attaque ! Oh non ! Arrête... tu es folle !

— Pourquoi ?

— Arrête, supplia Michel d'une voix tremblante... Voilà Noelle qui arrive...

Julie se redressa, faussement contrite et se laissa aller en arrière par-dessus bord. Aussitôt en surface elle éclata de rire et appela son amant.

— Viens !

Troublé, il plongea pour la rejoindre tandis que Noelle et Jacques se hissaient dans la pirogue. Ils nagèrent un long moment, s'effleurant avec une volupté croissante et Julie se serra brusquement contre Michel pour l'enlacer, l'embrasser, laissant l'eau tiède les recouvrir, cherchant tous les contacts avec violence.

Ils refirent surface à bout de souffle et il ne sut pas voir que le rouge qui cernait les yeux splendides de la jeune femme n'avait rien à voir avec le sel de la mer. Ils se rapprochèrent de la pirogue au moment où le soleil plongeait à son tour derrière l'horizon.

— Nous en avons trois, annonça fièrement Noelle, dressée dans l'embarcation, se retenant au mât.

— Trois quoi ?

— Dorades à museau long. Tu n'as pas envie de chasser ?

— Non... Je n'y tiens pas. Je préfère nager... Dis donc, tu n'as jamais essayé de faire l'amour comme ça, au large ?

— Tu peux dire que tu poses des questions curieuses ! s'exclama Noelle en s'agenouillant dans la barque pour se frotter le dos avec sa serviette.

— Et alors ? Je veux tout savoir, tout apprendre, fit Julie en s'éloignant, suivie par Michel comme par son ombre.

Noelle soupira, sourit puis poussa un cri.

— Voyou !... Tu...

— Je ne vois pas pourquoi, murmura Jacques en appuyant son avantage, aucune raison que les uns en profitent et pas les autres.

CHAPITRE XIV

La flèche blanche au museau cassé glissa en prenant de la vitesse et Noelle saisit la main de Jacques, crispant ses doigts. Le supersonique passa devant eux dans un rugissement de tonnerre, suivi d'une longue traînée de fumée noire et puante. Le diabolo avant se souleva et l'avion se cabra, quittant la piste, prenant cette forme étrange de cloche traversée d'une flèche que l'aurore transforma en or pur.

Noelle et Jacques se précipitèrent dans la salle de contrôle pour suivre le vol, enregistré sur magnétoscope.

— Tout va bien, assura Francis Lepain, le chef du contrôle, un bonhomme d'une cinquantaine d'années, tout comme Marc Doublet.

— Ici Delta Tango, fit la voix calme du pilote dans les haut-parleurs. Décollage aisé, sans histoire. Montons à trois mille pieds minute. Températures normales sur les quatre réacteurs.

— Bien reçu. Paramètres reçus correctement

cinq sur cinq, assura Francis Lepain après une
vérification des lectures.

— C'est un plaisir de retrouver le Delta Tango.
On dirait qu'il me reconnaît. Trois cents nœuds.
C'est évidemment mou... Il manque pas mal de
cavalerie.

— Certain. Tu as le temps. Communication de
Socrate. R.B. 911 H droit sur Laiena. Vitesse
Mach 2,5. Altitude 75 000 pieds. Un curieux.

— Consignes ?

— Tu l'ignores. Tu suis le plan de vol sans
fantaisie.

— Je diminue la pente de montée. Il faut
gagner sur l'accélération. Nous aurons du mal à
atteindre les cinq cents nœuds.

— Compris.

— Dites, Francis, vous ne trouvez pas bizarre
que cet Américain soit déjà sur place ?

— Un peu. Mais je peux vous assurer que c'est
une coïncidence, car personne ici, en dehors de
la petite poignée que nous sommes, ne savait
qu'il y aurait un essai en vol.

— Je n'imagine pas qu'il soit possible d'avertir
depuis Laiena, mais c'est curieux quand même.

— Vous savez, cela n'a pas beaucoup d'importance. Ils ne peuvent rien voir de plus que depuis
leurs satellites et ils connaissent le Concorde
depuis son premier vol.

— Vous savez, Noelle, fit observer Paul Salomon, l'ingénieur électronicien, il suffit aux Américains d'avoir en l'air une de leurs plates-formes
radar pour détecter l'envol de notre Concorde
dans les secondes qui suivent celui-ci. Un coup
de téléphone sur la bonne longueur d'onde et le
plus proche de leurs 911 H rapplique. Seule impli-

cation, il faut que cet engin super-sophistiqué et horriblement cher soit en l'air... ce qui peut signifier que nous sommes dans le collimateur.

— C'est bien l'explication que j'attendais, murmura Noelle. Merci, Paul.

— Il n'y a pas de quoi. Pas de quoi non plus s'affoler, car comme Francis je prétends qu'ils ne peuvent rien deviner pour le moment. Cela deviendra plus coton quand Marc va engager les essais Genon.

— Où se trouve l'Américain en ce moment ?

— Il faut le demander à Socrate, notre fidèle chien de garde.

— Qui est-ce, Paul ?

— L'ensemble des moyens de protection français. Beaucoup de choses, Noelle.

— Ah, bon, fit la jeune femme, relevant que l'ingénieur ne cherchait pas à dissimuler sa connaissance du problème.

Il se dirigea vers un des ensembles radio de la salle de contrôle, coiffa un casque et causa à mi-voix durant quelques minutes, écoutant en hochant la tête, tandis que sur le répétiteur de vol les paramètres continuaient à s'afficher, aussitôt enregistrés.

— Nous sommes à H moins trois minutes, annonça Francis Lepain. Le Delta Tango arrive aux 40 000 pieds prévus.

— L'Américain est passé mais c'est un Mig à hydrogène qui arrive. Sera passé, lui aussi, dans quelques instants. Il faut croire que nous intéressons bougrement. Socrate vient de lancer l'interception. Trois patrouilles de quatre. Le grand jeu. Sommations à tout ce qui tournicote trop près. Il paraît qu'un de nos avisos a dû tirer trois coups de semence sur un chalutier trop curieux qui n'aurait fait demi-tour qu'après avoir compris que le quatrième coup allait le couler, raconta Paul Salomon, hilare. Où en sommes-nous, ici ?

— Plus que deux minutes...

— Parfait... Tiens... Socrate rappelle...

Noelle suivit des yeux les gestes précis de l'électronicien et son regard revint croiser celui de Jacques qui cilla à deux reprises.

— L'Américain a effectué une boucle à grande vitesse et revient. Le Soviétique tourne plus au large, au-delà de Rangiroa. La radio gueule à plein. Elle les avertit que s'ils traversent le périmètre interdit ça va saigner. Mais jusqu'à présent ni l'un ni l'autre n'ont accusé réception.

— H moins dix secondes, annonça Francis Lepain. Surveiller l'enregistreur d'assiette...

Noelle se crispa et ses ongles entrèrent dans la paume de Jacques qui leva la main sans lâcher les doigts nerveux et les embrassa pour rassurer. La jeune femme frissonna en fixant avec terreur le grand écran du contrôle. La voix de Marc Doublet la fit sursauter.

— Parfait pour le premier acte.

— Reçu. Enregistré cinq sur cinq partout. Pas de mouvement perceptible.

— Rien. Le C.G.V. fonctionne parfaitement sans avoir besoin d'augmenter la sensibilité.

— Socrate demande que tu prennes le cap 185 pour éviter de survoler un secteur devenu suspect.

— Compris. J'engage le virage en commandes manuelles. Surveille notre vitesse. Nous avons gagné cent dix nœuds... Nous frôlons le passage... C'est du haut transsonique... Il suffirait de quel-

ques degrés de piqué pour franchir l'obstacle.
Nous voici au 185... Nous passons en phase deux...
Top... Léger décentrage... corrigé... sans méchan-
ceté... très sain... L'accéléro est dans le bons sens...
Je vais allumer les tuyères...

— Un instant, Marc... de Socrate, prend le cap
230. Il semble que la mer se peuple de baleines
curieuses.

— Compris... je réduis pour engager le virage...
facile... trop facile... étonnant... les commandes
sont d'une efficacité redoutable.

— En phase deux, cela commence à s'expliquer.

— Nous sommes bien sur le 230... j'allume...

— Vu... températures correctes...

— Cette fois on y va... Mach 1, et ça pousse...
Mach 1,3... rien à signaler. Une table de billard...
Julie se demande si on ne se fout pas d'elle... n'a
rien vu rien entendu...

— On vient d'entendre, ici, à moins que ce ne
soit Socrate qui se fâche.

— J'espère que non... Nous allons approcher
Mach 1,8... du tonnerre...

— Désolé de troubler le calme de cette promenade, Marc, Socrate insiste pour passer au 340.
Il y a du monde en l'air et sur l'eau comme sous
l'eau.

— Je m'en doute... Virage lent... pas de réactions vicieuses... un tapis volant. Une merveille,
ce vieux Delta Tango... quelle revanche, Francis !

— Tu as rassuré ta passagère ?

— Il semble. Cap au 340... Prêts pour la phase
quatre...

— Tous les paramètres sont normaux. Socrate
te demande de ne plus approcher de la grande

île. Il a des problèmes avec l'environnement. **Pour**
le reste, nous sommes prêts.

— Nous y sommes... Foutre !...

— Marc ?

— Un moment...

— Tout va bien ?

— ... Tout va bien... sauf l'estomac... c'est pro-
prement dégueulasse... Et dire qu'il y a des gars
qui se farcissent des semaines comme ça ! Je
comprends les petites... Bon... il faut s'accoutu-
mer... La machine est une merveille... Nous rédui-
sons les gros après passage rapide à Mach 2. Il
semble qu'avec les deux petits cela devrait suffire... Un peu jeune quand même... Avec les quatre
à 75 pour 100, nous filerons nos valeurs anciennes... Tu reçois ?

— Je rêve.

— Moi aussi.

— Socrate, encore lui, conseille de travailler
dans un carré de cent nautiques centré sur la
balise de l'amiral. Ils font le vide tout autour.

— J'entends ça. Il y a un Américain qui vient
de voir péter une fusée trop près pour son goût
et qui les engueule faut entendre comme !

— **Socrate** prétend qu'il a tiré déjà quatre
fusées à partir des 6 000 m.

— Il ne faudrait tout de même pas qu'il foute
le bordel partout !

— Ce n'est pas nos affaires, Marc...

— Tu as raison... Bien... sommes calés sur
Mach 2,3... regarde toi-même ce que ça donne...
Tu peux avertir Gambier... qu'il prépare ses lampes à souder... Nous allons repasser en phase
trois puis faire plusieurs présentations... Faut

trouver l'angle... et la meilleure charge... Tu fais surveiller aux caméras, Francis.

— Tout le monde est prêt... y compris la sécurité.

— Il n'y en aura pas besoin... mais ce n'est pas une raison pour la renvoyer.

Vingt minutes plus tard le sillage sous un point blanc qui grossissait apparut dans l'axe de la piste. Jacques et Noelle, l'un contre l'autre, virent passer la machine, le nez de nouveau cassé, cabrée, se dandinant comme une oie, le train sorti. Mais Marc Doublet ne toucha pas le sol et remit les gaz. Plusieurs des ingénieurs et techniciens présents se regardèrent avec inquiétude. Ils suivirent des yeux la machine qui virait, reprenant la branche vent arrière, traînant son sillage noirâtre et revenant, à une vitesse étrangement réduite oscillant, très cabrée, comme si le pilote avait du mal à contrôler la machine. Les boggies touchèrent sans faire leur fumée habituelle, roulèrent une centaine de mètres et Marc Doublet remit une fois encore la puissance.

— Tu t'amuses ? demanda Francis Lepain.

— Beaucoup... ne vous inquiétez pas. C'est si étonnant que j'y passerais volontiers la journée... Nous venons de passer en phase quatre... à cent dix nœuds, Francis... je vais me poser... phase trois... cent trente nœuds...

— Compris.

— Surveille bien... les caméras... le contact... l'attitude...

— On tourne...

Jacques et Noelle crurent que jamais l'appareil ne parviendrait à toucher la piste tant il leur sembla se traîner, au ras des vagues puis du

lagon et enfin de la plage, se balançant d'un côté
sur l'autre. Il toucha pourtant des deux boggies
en même temps, courut sur la piste, ses réacteurs
ralentissant avec un bruit de sirène et s'arrêta,
après un freinage progressif avant les trois quarts
de la piste. Il revint se placer devant le hangar,
et s'affaissa de quelques décimètres sur les amor-
tisseurs, quand le Genon fut coupé.

— Fantastique ! s'exclama Marc Doublet rayon-
nant en pénétrant dans la salle de contrôle ou
Francis Lepain se battait avec ses enregistreurs
pour mettre les bobines en lieu sûr.

— Etonnant...

— Je viens d'avertir Gambier. Ils vont démon-
ter les gros dès maintenant et si c'est prêt, nous
volons demain matin, même heure.

— Tu comptes décoller avec les quatre petits
moteurs ?

— Exactement. Il n'y aura que l'inertie à con-
trer. Mais en soulageant en phase trois, rends-toi
compte, Francis, que nous ne pesons plus que
trente tonnes et si ça allait mal, on peut enclen-
cher instantanément la phase quatre et être entre
deux et trois tonnes... Ce qui me surprend le plus,
c'est la stabilité. L'inertie demeure, mais j'ai
l'impression que les gouvernes répondent trois
ou quatre fois mieux. En présentation c'est épous-
touflant.

— On appelle le Soleil ?

— Cela me semble indispensable. Tu précises
que sauf incident mécanique ou difficulté du côté
de Socrate, nous pouvons voler six à huit heures
par jour. Qu'ils prévoient des moteurs de
rechange... Nous allons certainement en secouer.

— Il y en a déjà douze en place.

— Pas mal, mais avertis-les quand même.

Du vol effectué par le Delta Tango, une seule phase fut retenue par les spécialistes de l'interprétation des deux camps, lorsque les photos prises par les caméras électroniques eurent été analysées, le virage en vitesse supersonique, démontrant que l'appareil était tout à fait capable de résister aux grandes accélérations.

Mais du côté soviétique, un Mig 235 passant à plein puissance à 25 000 mètres d'altitude avait réussi à prendre une partie de la séquence d'atterrissage. Les repères temporels du film spécial, comparés aux positions relatives du Concorde à l'atterrissage donnèrent immédiatement la vitesse de présentation. Et celle-ci, une fois connue, stupéfia les analystes qui incriminèrent les caméras mais envoyèrent malgré tout les résultats bruts à l'autorité chargée de ce problème.

La nouvelle ne demeura exclusivité soviétique que ce jour-là, car le lendemain, au risque d'être réduit en fumée comme la fois précédente, un R.B. 911 H, trompant le navire lance-fusées passa au ras des vagues prenant photos sur photos au moment où Marc Doublet effectuait son vingtième atterrissage de la journée.

Dans tous les services aéronautiques et spatiaux des Etats-Unis aussi bien que dans les laboratoires et bureaux d'études de l'immense U.R.S.S., de cerveaux brillants, remarquablement entraînés à l'analyse objective, calèrent sur ce problème insoluble. Un avion à aile delta améliorée, bien connue, volait à Mach 2,3 avec des réacteurs d'un modèle nouveau émettant à peine le dixième des rejets de ses réacteurs d'origine et se posait à cent dix nœuds comme un vulgaire avion de club.

Certains esprits forts parlèrent d'hypnose collective. D'autres envisagèrent la possibilité que la machine ait été dépouillé de tous ses composants et qu'elle ne fasse que décollage et atterrissages, une machine similaire croisant à grande vitesse. L'hypothèse ne résista pas aux confirmations des photos prises par satellites.

Dans un fortin souterrain, des officiers de l'Air Force commencèrent à nourrir des ordinateurs géants de milliers de données tirées d'observations en série.

A Paris, plusieurs hommes soucieux se retrouvèrent au domicile de l'un d'eux et discutèrent à mi-voix une partie de la nuit, recevant sans interruption des messages codés en provenance de la Base Secrète du Pacifique. Ils prirent une décision qui fut ensuite qualifiée d'historique, vers quatre heures du matin, heure française, le milieu du jour à Laiena.

CHAPITRE XV

Laslo V. Sercati regarda pensivement l'homme trapu et grisonnant enfoncé dans le fauteuil Boule lui faisant face. Un des rares individus pouvant se targuer de n'être pas impressionnés par le Président de la General Electronic. Efficacité, rapidité et discrétion. Les trois qualités essentielles de Mike Hornblood.

— Qu'allez-vous décider, Mike ?

— Faisable, estima le personnage dont le visage tanné révéla un début d'intérêt.

— Je vous confirme que vous n'aurez aucun soutien officiel, ce qui ne signifie pas que la C.I.A. ne vous donnera pas, éventuellement, un coup de pouce. Mais avec l'Agence, il vaut mieux se méfier. Les aides peuvent se retourner contre vous.

— Je vous l'accorde. Il n'empêche que je préfère une attitude de neutralité bienveillante à une hostilité déclarée ou déguisée.

— J'arrangerai les choses au mieux.

— Il faut me dire exactement ce que vous cher-chez, Lash.

— Je veux simplement savoir ce que les Fran-çais sont en train de préparer. Est-ce uniquement un leurre, un coup de contre-publicité pour gêner l'avènement de notre S.S.T. ou bien auraient-ils soudain découvert un moyen de redonner vie à leur projet de super-Concorde ? On encore, diraient-ils la vérité quand ils laissent entendre qu'ils transforment ces engins qui valent plus que leur poids d'or en vecteur pour une bombe N ou H ? Les intérêts en jeu sont immenses, Mike. Je ne vous les détaillerai pas, mais la G.E. veut rester la seule maîtresse du marché du superso-nique et des gros porteurs dans le monde. C'est simple.

— Et vous estimez que le centre d'intérêt demeure Toulouse ?

— Oui. La C.I.A., l'Air Force, le Pentagone, tout ce qui grouille et remue dans le renseignement, suit cette affaire depuis un certain temps. Le nœud de l'histoire est à Toulouse. Vous savez où ça se trouve ?

— J'ai déjà travaillé là-bas, autrefois.

— J'espère que vous n'avez pas laissé de trace.

— Je ne laisse jamais de trace. J'ai lu votre mémo, Lash, et je suis surpris de votre conclu-sion, pour Toulouse. Que se passe-t-il donc dans le Pacifique ? Nous avons laissé, au début de l'affaire, un R.B. 911 H avec son équipage. Les Russes viennent de perdre coup sur coup deux Mig 235, de sacrées machines, et n'en sont pas revenus, d'autant que les Français font mine de tout ignorer, du fait que ces avions, comme le nôtre, ont voulu passer outre aux consignes et aux engagements.

— Oui, Mike, nous savons tout cela et nous concluons exactement le contraire de ce que supposent nos services de renseignements gouvernementaux. Le leurre est là-bas, dans le Pacifique. Le travail en grandeur se fait en France. On n'a jamais vu des essais menés sur une seule machine perdue dans le milieu d'un océan. Or, à Toulouse, précisément, on rassemble tous les Concorde depuis un moment. On récupère ingénieurs et techniciens dans toute la France pour travailler sur un projet dont honnêtement nous ne savons rien.

— Combien de machines en tout ?

— En principe, sept en France et autant en Angleterre. Les Français auraient proposé aux Britanniques de leur acheter leurs tas de ferraille mais depuis lors, le gouvernement socialiste anglais ne veut plus vendre, se demandant s'il ne va pas se faire gruger.

— Si je comprends bien, la France a une machine dans le Pacifique et les six autres à Toulouse.

— Peut-être pas toutes les six, mais elle y seront bientôt.

— Que quelque chose de fâcheux survienne à ces machines et il ne restera plus grand-chose du projet français, quel qu'il soit.

— De quoi donner à réfléchir, c'est juste, Mike.

— Peut-on négliger le fait que les Européens vont hurler à l'attentat et vous faire probablement porter le chapeau ?

— Je voudrais bien voir ça ! Avec quelles preuves ? Nous saurions nous défendre. Je suppose que vous disposez de moyens importants et que vous savez vous en servir.

Mike Hornblood négligea la question. Il était insensible à toute forme d'humour ou de sarcasme et suivait son idée avec l'entêtement d'une machine.

— Dans les mémos que vous m'avez confiés, j'ai relevé le nom et la qualité des agents des différentes centrales disparus aux environs de Toulouse depuis le déclenchement de l'affaire. J'en connaissais pas mal. Ils avaient de la classe et du savoir. C'est curieux. Je n'ai jamais entendu dire que les Français éliminaient leurs adversaires d'une telle manière...

— Vous n'avez jamais non plus appris qu'ils avaient descendu un R.B. 911 H et ils l'ont fait avec le même sang-froid et la même indifférence pour le qu'en-dira-t-on.

— Raison de plus pour répondre à la violence par la violence... seulement, cela va coûter cher, très cher, Lash.

— Votre couverture en Europe sera illimitée. Mais au risque de me répéter, vous ne serez pas repêché si vous tombez à l'eau. Est-ce bien d'accord ?

— Je connais.

— Aucun rapport, aucun contact, aucun compte rendu, rien... le vide.

— C'est ça. Quand nous aurons réglé le cas de Toulouse, vous ne pourriez pas nous donner pour cible la machine du Pacifique ?

— Pourquoi, vous avez une idée pour franchir le barrage de la Marine française qui a éperonné un chalutier coréen, coulé un autre dont on préfère ne pas donner la nationalité et grenadé plusieurs sous-marins non identifiés ?

— J'ai toujours des idées, Lash. Il suffit de me les payer. Mais cette fois, pour cette machine du Pacifique, je me demande si les spécialistes de Moscou ne vont pas nous devancer. La perte des Mig va les avoir enragés. D'ici à ce qu'ils rayent de la carte le centre d'études du Pacifique !

— Ce serait hautement regrettable pour ces malheureux Français.

— Mais pas vous vous, Lash, évidemment.

— Mike, je constate avec un plaisir toujours intense que vous avez des idées. Je pense que je vais confier à la presse quelques informations à développer sur les sujets les plus brûlants. Notamment cet incident aérien et naval. Nous soulignerons que la transformation des Concorde français en vecteur de bombes H est dirigée contre l'U.R.S.S. On ne sait jamais, avec les militaires, ça peut marcher. Les autres sont gâteux.

— Si tout est en ordre, je vais me retirer. Heureux de pouvoir vous être utile, Lash.

— Et moi, heureux de pouvoir compter sur vous.

— Vous le pourrez aussi longtemps que vous tiendrez vos engagements.

— Vous de même, Mike, riposta le magnat. Je crois que nous nous sommes tout dit.

— Non... le montant, Lash... trois millions de dollars de la manière habituelle.

— Trois... Oh... bon... d'accord... entendu, Mike... Par tiers.

Mike Hornblood quitta le World Trade Center Three dans son hélicoptère personnel et rejoignit l'un de ses repaires du New Jersey où il se posa une heure et demie plus tard. Le jardinier de son voisin, Dover Kornbluth, n'interrrompit ni ne ralentit le ratissage de l'allée qu'il venait d'entreprendre. Il releva seulement les yeux, les plissa, regarda se poser l'appareil et en descendre la silhouette de l'homme aux redoutables épaules. Il termina son ouvrage et changea d'activité, entreprenant la tonte méticuleuse du gazon, fierté d'Hisham Bahr, président du groupe de presse de la General Electronic. La tondeuse silencieuse commença à sillonner la pente, traçant un carroyage impeccable.

Le jardinier ne suspendit son travail qu'une courte demi-heure, pour avaler un repas rapide. Il reprit ensuite le volant du petit engin électrique afin de poursuivre l'ouvrage perpétuellement remis en cause par la nature.

Mike Hornblood quitta le New Jersey quarante-huit heures plus tard. Il emprunta un vol Transatlantic Airways, filiale de la G.E. et descendit du paquebot aérien à Charles-de-Gaulle. Sa petite valise de cuir fauve à la main, il tendit un passeport diplomatique au fonctionnaire de l'administration française qui en lut l'en-tête avec une solennelle indifférence. La douane ne fut pas plus curieuse et il ne se soucia pas de bagages inexistants. Ce qui viendrait serait disséminé sur plusieurs vols et concentré en lieu sûr.

Il négligea taxis électriques et même bus à gazogène pour embarquer dans l'aérotrain à moteur linéaire, une des plus récentes folies de ces Français imprévisibles. En cours de route, il changea d'identité et devint Thomas Smith, reporter au *Herald of New Jersey*. Il fut déposé trente-cinq minutes plus tard à l'extrémité du long couloir menant au hall d'embarquement d'Orly-Ouest. Alimentés en énergie par un soleil aussi joyeux qu'exceptionnel, les trottoirs roulants fonctionnaient, si bien que Mike ne se fatigua pas pour embarquer dans un vénérable Airbus rebondi, plein comme un œuf et qui décolla à l'heure précise pour se poser aussi ponctuellement à Toulouse. Pas un seul instant Mike-Thomas n'eut l'impression de soulever la curiosité. Une carriole, traînée par deux cheveux, dont celui de gauche portait des œillères cloutées en forme de L à gauche et de R à droite, attendait, à l'endroit prévu, comme une dizaine de ses semblables. Sur le siège avant, un homme entre deux âges et une jeune fille devisaient calmement.

Il se dirigea vers eux, un sourire aimable aux lèvres, ses yeux dissimulés derrière les lunettes sombres dévisageant les deux inconnus. Ils correspondaient en tout point au portrait enregistré.

— Smith, *Herald of New Jersey*...

— Degremont... heureux de vous accueillir par un si beau temps. Nous venons tout juste d'arriver.

— Avez-vous fait bon voyage, monsieur Smith ? demanda la jeune fille, fort jolie, avec un léger accent français.

— Excellent, merci, fit-il assez brusquement, mal à l'aise.

Un simple claquement de langue et le battement des rênes sur leur harnachement lança les chevaux qui prirent aussitôt un petit trot paisible sur la route mal entretenue. Le bruit des bandages et le grincement des ressorts de la carriole évita la conversation, tandis que le voyageur, mains sur le ventre, regardait à gauche et à droite de la voiture.

Devant lui, dans la petite valise beige, entre la doublure et le cuir, se trouvait quelque chose susceptible de le tirer d'affaire, si d'aventure il avait commis une erreur. Rien ne permettait encore de l'affirmer. Mais si l'homme avait correctement donné le mot de passe, la fille, elle, avait totalement ignoré la question. Il n'y avait qu'une explication, que la femme désignée n'ait pu, pour une raison quelconque, se trouver là au dernier moment. Plausible, mais quand même inquiétant.

La jeune fille chantonnait, le cocher sifflotait, les chevaux trottaient et Mike estima qu'il n'y avait peut-être pas lieu de s'inquiéter. Deux cyclistes pressés passèrent à gauche de la voiture. Deux autres surgirent à droite et passèrent également. Il se souleva pour regarder derrière, par-dessus la capote abaissée et constata qu'une demi-douzaine d'autres cyclistes pédalaient paisiblement à un jet de pierre.

La carriole obliqua pour emprunter une voie secondaire, sur la droite, et Mike se raidit instinctivement. Cet itinéraire n'était pas prévu au programme. Les chevaux étaient maintenant lancés au galop et leur cocher ne sifflait plus. La jeune fille se retourna pour regarder le voyageur et il devina, plutôt qu'il ne vit, ce qu'elle tenait dans sa main droite. Il eut un sursaut, suivi d'une sensation de brûlure intense dans la poitrine puis de grand vide. Un vide immense dans lequel il s'anéantit.

Quarante-huit heures plus tard, Laslo V. Sercati eut l'occasion de piquer une colère qui ferait date dans l'histoire de la General Electronic. Un message courtois des Transatlantic Airways lui annonçait que la valise de M. Michael Hornblood était tenue à sa disposition par la compagnie qui demandait ce qu'il convenait d'en faire et lui adressait la note de frais correspondant à l'expédition du bagage depuis Toulouse Airport, France.

Incrédule, le Président de la G.E. relisait le message pour la troisième fois lorsque son adjoint pour la sécurité l'appela sur le circuit spécial.

— Oui, ici le Président...

— Bonjour, monsieur. De très mauvaises nouvelles pour l'affaire en cours.

— De quoi s'agit-il exactement ? demanda Laslo V. Sercati, les bajoues tremblotantes.

— Une communication de l'un de nos correspondants. Le corps de Mike vient d'être découvert. Foudroyé par une crise cardiaque, version officielle. Notre correspondant ne cache pas qu'il s'agit d'autre chose. Les contacts de Mike ont été repêchés dans une rivière après que l'homme ait voulu sauver la femme qui se noyait... toujours version de la presse. Les spécialistes envoyés d'ici n'ont pu débarquer. Ils ont transité par la prison de l'aéroport et sont revenus hébétés, drogués, probablement après avoir parlé.

— Qui a pu trahir, Dick ? Il me faut savoir, toute affaire cessante, ce que cela cache. Tenez-moi au courant. Nous devons réagir immédiatement. Voyez Turner s'il est libre. Nous allons employer les grands moyens.

— Entendu, monsieur, assura l'adjoint à la sécurité.

— Connie !

— Oui, monsieur ?

— La Présidence...

— Le Président dépose en ce moment même devant la Chambre des Représentants.

— Le Vice-Président !

— Il se trouve actuellement à Hawaii pour le vingt-troisième Congrès des mères divorcées.

— Avertissez le secrétariat particulier. J'ai besoin d'une entrevue de toute urgence. La crédibilité des Etats-Unis est en jeu. Insistez sur la gravité exceptionnelle de la situation. Compris ?

— Compris, monsieur, fit la voix toujours égale de la secrétaire.

Une lueur rouge clignotant sur une console devant les yeux injectés de sang du magnat de l'industrie américaine lui arracha un juron italien remontant à ses ancêtres.

— Oui, ici Laslo Sercati...

— Ici Pat Carver.

— Salut, Pat, grogna le Président de la G.E. en reconnaissant la voix traînante du Texan dirigeant les destinées de la Boeing Aircraft Company, une des grandes filiales.

— Nous recevons un câble de notre permanent à Paris. Il concerne cette curieuse excitation des Français sur leur Concorde. L'affaire devient étonnante, Lash. Un communiqué du gouvernement français serait imminent, dévoilant une découverte d'une portée inimaginable dans les domaines de l'aéronautique et de l'espace. Qu'en pensez-vous ?

— Que voulez-vous que j'en pense ? aboya le gros homme en tranchant d'un coup de dents le cigare à peine entamé qu'il avait fiché entre ses lèvres déformées.

— Je serais heureux d'avoir votre détachement.

Notre S.S.T. devrait sortir dans les semaines à venir.

— Il sortira. Et ce ne sera pas une manœuvre d'intimidation plus ou moins appuyée par les Soviétiques qui empêchera que cette sortie soit un succès.

— Ne peut-on réellement rien faire pour... comment dire, calmer l'enthousiasme français ?

— Non, Pat, rien. Rien de plus que ce que j'ai tenté. J'attends une communication de la Maison-Blanche. Dernier recours.

— Alors je crains que les choses ne se présentent sous de mauvais auspices.

— Et moi je prétends que cette affaire est destinée précisément à nous faire commettre des erreurs de jugement. Les Français n'ont rien. Ils ne peuvent rien avoir. Cavanac, leur ministre de l'Air lui-même, m'assurait, voici quatre jours à peine, que la technologie française la plus moderne est incapable de rendre la vie au supersonique voué définitivement à la ferraille.

— Je suis bien d'accord, Lash, mais si par hasard ces maudits bâtards avaient réellement quelque chose de sensationnel à nous découvrir ? Ils sont ruinés, gangrenés, sans idéal et sans foi, courant droit à l'esclavage économique au profit du plus fort ou du plus offrant, mais, de temps à autre, ils ont de ces fulgurances qui m'effraient. Je ne vous apprendrai pas que sans nos efforts pour contrecarrer l'approvisionnement en métaux spéciaux de leurs usines, nous aurions perdu totalement le marché des courts et des moyens-courriers. Rien n'a pu entamer le crédit de leur saloperie d'Airbus encore en l'air après vingt ans de service et que rien ne paraît pouvoir condamner.

Il va falloir les abattre au canon si nous voulons les remplacer par quelque chose de fabriqué ici. Je crains une aventure identique pour le S.S.T.

— Calmez-vous, Pat. Nous n'en sommes pas là. Un S.S.T. n'est pas un autobus de l'air.

— Précisément, l'affaire Concorde...

— Il n'y a pas d'affaire Concorde ! Il n'y a qu'un nuage de fumée, un leurre qu'on veut que nous prenions pour une machine opérationnelle, une comédie...

— Désolé, Lash, de ne pouvoir vous suivre sur ce terrain. Les nouvelles vont vite et vous allez recevoir celle-ci d'un instant à l'autre. C'est la confirmation des performances surprenantes, pour ne pas dire plus, du supersonique français du Pacifique. La marine française a supprimé, sans explications, son dispositif d'interdiction du champ de tir du Pacifique. Nos observateurs ont donc pu suivre de bout en bout un des vols d'essai de la machine qui tourne là-bas journellement. Les Mig 235 se trouvaient bien entendu au rendez-vous, ce qui leur a permis de constater que le Concorde sorti de la ferraille vient de couvrir Rangiroa-Melbourne et retour sans escale à Mach 2,3. Dernier détail, il s'est posé sur la piste de la petite île ridicule sur laquelle se sont effectués les travaux mystérieux sur les moteurs, à la vitesse de cent dix nœuds et en trois cents yards. Concluez. Moi, je suis atterré.

— C'est de la folie ! De l'intoxication ! Contrôlez l'origine de cette information et démentez-la sans hésiter. Un peu de bon sens quand même. Nous savons construire des avions. Nos ingénieurs savent ce qu'est un supersonique. Essayer seulement de leur poser ce problème ! Bon. Je m'occupe de la question au sommet avec le Président. Mettez tous vos gens sur cette information, qu'elle soit démolie et retournée contre ceux qui se foutent de nous. Tenez-moi au courant.

Laslo V. Sercati demeura un moment, les mains crispées, regardant son bureau vierge, grondant comme un sanglier en colère, puis peu à peu, le calme et le sang-froid prirent le meilleur. La réflexion put suivre. Putains de cons de Français... Imprévisibles... latins... farceurs... empêcheurs de tourner en rond... teigneux... Quelle connerie avaient-ils bien pu imaginer ?

Ce fut le moment que choisit le lecteur du télex pour insister en pulsions frénétiques de sa lampe orange. Laslo appuya sur la commande voulue, petit bouton blanc minuscule, et le message s'imprima à toute allure. Le cigare que tenait déjà le gros homme se brisa entre ses doigts.

CHAPITRE XVI

Julie et Michel suivaient les éléments du vol sur l'écran carré placé entre les séries d'instruments dominant les claviers et séries d'interrupteurs de leurs consoles respectives. De l'autre côté du couloir, devant des consoles en apparence identiques mais ornées d'instruments tout à fait différents, les ingénieurs surveillaient les jauges de contrainte donnant la valeur des tensions et efforts encaissés par la structure durant les évolutions. Toutes les vingt minutes, Julie et Michel appuyaient sur une touche de leur pupitre, toujours la même, pour réactiver le relais temporisé commandant les émetteurs Genon. Ceux-ci, dans leur boîtier hermétique, occupaient une place dans la console et se trouvaient branché par un cordon et une prise à douze broches.

Que pour une raison quelconque le réarmement du relais ne soit pas assuré, l'effet Genon se trouvait supprimé avec l'interruption de l'émission U.H.F. La limite d'une demi-heure choisie par les chercheurs était jugée trop courte par le chef des essais en vol mais aucun des arguments qu'il avait avancés n'était parvenu à fléchir la détermination des jeunes gens. Et sur ordre de Paris, Marc Doublet avait finalement admis que pour la durée du séjour à Laiena le statu quo soit observé. C'était le seul véritable sujet de discorde entre lui et l'équipe des Quatre.

— Julie, ici le commandant, veux-tu venir nous voir, s'il te plaît ?

— J'arrive.

— Regarde... à 10 heures... ce sillage... tu le vois ?

— Qui est-ce ?

— R.B. 911 H, un de plus. Il doit y en avoir un autre derrière nous. Et là-bas, à 2 heures, c'est un Mig. Tu le reconnais à ses énormes statos, en bout d'aile, et à son fuselage saucisson... formant réservoir d'hydrogène. Il faut être sacrément gonflé pour voler avec ça ! Ils se neutralisent les uns les autres. C'est plutôt rassurant.

— Pourquoi, tu penses que nous pourrions être attaqués ?

— Je ne pense rien, Julie, sinon que ces gens-là ne sont pas autour de nous pour le plaisir de se promener et que nous avons déjà causé la mort de trois équipages... indirectement, certes, mais quand même !

— C'est ignoble et imbécile ! Pourquoi avoir tiré ? Pourquoi avoir pris de tels risques ?

— Ma très chère, sans vouloir te vexer, n'en prends-tu pas au moins autant ? Qui est le plus enragé pour conserver son secret, petit ou grand ? Ne t'étonne pas qu'un Etat se défende avec des moyens à sa mesure quand toi, tu défends ce que tu considères comme ton bien avec une telle force.

— Marc... tu crois réellement que nous sommes responsables de la mort de ces hommes ? s'exclama Julie de Corgé en perdant ses couleurs.

— N'exagère pas, admets seulement que dans le monde actuel, il est très difficile d'éviter ce genre d'incidents. Nous sommes tous volontaires, dans cette machine qui étonne les gars qui nous observent. Mais nous vivons dangereusement...

— C'est la paix, l'entente entre tous les peuples que nous voulons, Marc, pas ça !

— Si tu relâches, ne serait-ce qu'un instant, la protection qui entoure le Genon, ce que tu viens de dire restera lettre morte. Des mots, vides de sens pour ceux dont l'objectif est au contraire de consolider leur puissance, leur fortune, leur pouvoir, aux dépens des pauvres cons... Mais je ne t'ai pas appelée pour te faire la morale ni te mettre dans l'embarras. Nous rentrons vers Laiena.

— Ah bon ?

— Oui. Plein complet, chargement des éléments les plus secrets sur trois appareils dont le Delta Tango et départ pour la France...

— Non !

— Mais si. L'ordre vient d'arriver.

— Les essais ne sont pas terminés...

— Ils vont se poursuivre dans le cadre de voyages de démonstration. Autour de la planète. C'est un peu ce que tu espérais, non ?

— Je ne sais pas... je ne sais plus. Avec ce que tu as dit précédemment. Nous allons être séparés, une fois de plus...

— C'est évident. Jacques et Noelle sont en train de boucler les bagages... Il est possible qu'ils soient partis avant notre atterrissage.

— Si vite, mais que se passe-t-il ?

— Le gouvernement est pressé. Je ne sais rien d'autre. Ne fais pas cette tête. Michel est avec toi... un beau voyage... Laiena-Toulouse, sans escale... à la vitesse maxi... allons...

— Marc, tu fais exprès de ne pas comprendre. Nous sommes seuls, tout seuls, avec autour de nous des monstres qui veulent une seule chose, prendre ce que nous cherchons à défendre en nous éliminant si besoin est. Comment veux-tu que nous acceptions avec le sourire d'être séparés, réduits à un pauvre couple ?...

— Tu es moins seule que tu ne le prétends et à mon tour de te faire remarquer que tu refuses de voir la réalité en face. A Laiena, il n'est personne qui ne fasse bloc autour de vous. Peux-tu le nier ?

— Je pense que l'important est en effet de le croire, murmura-t-elle. Merci, Marc, pour ta gentillesse. Je vais avertir Michel.

*
* *

Le colonel Dawson se gratta les cheveux avec vigueur, se racla la gorge et essuya machinalement ses lunettes avant de reprendre la longue suite de comptes rendus émanant de la Reconnaissance Stratégique.

Avec une nervosité croissante, il empila les feuillets après lecture et poussa un grognement de colère quand le téléimprimeur en dégorgea coup sur coup trois autres, de la même origine. A la lecture de ces derniers, ses épaules s'affaissèrent et d'un geste las il appuya sur une touche de son interphone.

— Lee !
— Oui, Dave ?
— Monte me voir.
— Du nouveau, à ce qu'il paraît.
— Enorme, ça explose littéralement.
— J'arrive.

Devant la liasse qui augmentait d'épaisseur de minute en minute, le major Marshall serra les lèvres, esquissa un mince sourire et hocha la tête avec résignation en s'installant sur le fauteuil rotatif proche de celui du colonel.

— Voici donc la preuve de ce que nous redoutions, commenta-t-il... Tu as eu le nez creux. Mais enfin, quelle peut bien être la nature de ce carburant ? Les gars de la Reconnaissance affirment que le sillage est ridicule, c'est le mot le plus souvent employé. Très peu d'hydrogène sulfuré, presque pas de vapeur d'eau... Le centième de ce que dégageaient les quatre réacteurs d'origine. Ils ne peuvent se tromper, d'ailleurs... on en est au quatrième appareil relais, tandis que le Concorde fonce toujours tout droit, sur sa route fantaisiste, sans ralentir et sans ravitailler. Conclusion, ils nous confirment le raid inexplicable de Melbourne sans que nous soyons plus avancés.

— C'est exactement ça et nos ingénieurs les plus audacieux y perdent leur savoir. D'après les messages interceptés, le Concorde se dirige vers Toulouse où il est attendu par des moyens militaires et de sécurité extraordinaires. De plus, tu as vu, l'atoll est évacué à toute allure, c'est toute la flotte de gros porteurs français qui est mobilisée. Un pont aérien jamais réalisé par un aussi petit pays.

— Je ne crois pas aux miracles, Dave. Ils ont

découvert un super-carburant. Quelque chose ayant les qualités énergétiques de l'hydrogène et qu'ils ont emmagasiné dans le fuselage... Suppose qu'ils se servent d'un mélange de kérosène, dans les réservoirs d'aile et de je ne sais quoi, dans le fuselage...

— Pas bête... pourquoi pas l'hydrogène métallique ? Ce serait à vérifier.

— Il va falloir le faire, bien que ce soit réellement difficile à imaginer. La N.A.S.A., qui s'y connaît en carburants et comburants dégueulasses, n'est jamais parvenue à conserver cette saloperie sous sa forme métallique plus de quelques minutes. Je serais étonné que les Français, isolés sur leur atoll, aient eu les installations cryogéniques nécessaires.

— Une invention, une découverte, surprend toujours. Ils peuvent avoir mis au point un générateur protonique. Ils disposaient d'une centrale atomique puissante.

— J'aime assez cette idée. En tout cas, nous nous sommes fait avoir et de savoir que les Russes sont aussi baisés que nous ne me console pas.

— Tu as parlé de la N.A.S.A., que pensent-ils des derniers développements ?

— Ils travaillent dessus par la méthode des convergences. Pour le moment, leurs ordinateurs soulignent que pour parvenir aux performances observées, il faudrait que l'avion pèse moins du dixième de son poids normal, tout en conservant la capacité de transport de carburant du supersonique que nous connaissons, tout en réduisant la puissance des réacteurs à trois fois rien. C'est d'ailleurs l'hypothèse qui fut émise pour le raid de Melbourne.

— Hé !

— Hé quoi ?

— Pourquoi pas ?

— T'entends des voix ?

— C'est bien possible, mais nous n'allons pas tarder à savoir si elles sont renseignées, bredouilla le colonel Dawson en se penchant sur l'interphone. Sally ! Ici Dave Dawson, ma très chère, je voudrais que vous trouviez aussi vite que possible ce qui est enregistré sur les chercheurs français impliqués dans l'affaire S.S.T.F. C'est urgent.

— A quoi penses-tu donc ?

— Une réminiscence, Lee, je ne comprends d'ailleurs pas que personne n'ait encore soulevé ce lièvre. Il faut dire qu'il est tellement gros qu'il a tout de l'éléphant. Je suis pratiquement certain que la plupart des scientifiques français qui ne travaillaient pas autrefois pour la Spatiale ni pour l'Aéro, appartiennent au C.N.R.S., Orsay... Saclay... et d'autres labos... étude des champs faibles. Et parmi ces derniers, il en est un que tous les laboratoires du monde voudraient bien cerner puis dominer : le champ gravifique.

— Tu ne vas pas me dire que tu crois qu'ils ont découvert ça ! s'exclama le major Marshall, réprobateur.

— Je me le demande bien et je me mords les doigts jusqu'au coude de ne pas y avoir pensé avant. Quelqu'un, un jour, devait bien y parvenir, pourquoi pas eux avec un peu de chance ? Ce n'est tout de même pas l'intelligence qui leur manque, ils en auraient plutôt à revendre !

— Tu devrais appeler le Centre, qu'ils intègrent cette hypothèse à la suite des données déjà enregistrées. Nous aurions au moins une réponse de principe.

— C'est bien ce que je vais faire.

Les fiches fournies par Sally Mac Rael et la réponse de l'Air Force tombèrent presque en même temps sur le bureau du colonel Dawson qui lut, poussa un juron, tendit le feuillet au major Marshall et se précipita sur le combiné téléphonique.

Ce qui fit que quatre-vingts minutes plus tard, le temps nécessaire pour qu'une armée de scientifiques de toutes tendances aient donné leur avis sur la chose, un mémo top secret, urgent, apparut sur le lecteur du bureau de Nelson Boulder Conway. L'ancien épicier en gros, porté à la Présidence par les spécialistes en manipulation des masses au service des « Majors Companies », lut ce que les Français dévoilaient subitement après tant de curieuses péripéties. Sa stupéfaction se mêla rapidement de frustration puis de colère.

Il décrocha son téléphone, eut son correspondant dans les secondes qui suivirent et posa une question liminaire :

— Harry, sacré bon Dieu ! Qu'est-ce que ça veut dire, cette nouvelle affaire Concorde ?

— Il n'y a pas de nouvelle affaire, monsieur le Président. C'est toujours la même machine, que nos avions ne perdent pas de vue et qui effectue un raid étonnant entre le Pacifique et la France. Nos services de renseignements, à tous les échelons ont été manœuvrés. Je dois dire cependant que celui de l'Air Force a été plus efficace que les autres. Probablement mieux placé grâce à ses Lockheed.

— O.K. Je comprends donc que tout ceci est une affaire montée, gonflée, mais dans quel but ?

— Pardon ?

— Vous venez bien de dire que nos services ont été manœuvrés ?

— Oh... c'est juste, mais pas dans ce sens. Non. Les Français sont parvenus à tenir secrète leur découverte, une fois n'est pas coutume. En ce moment, ils font un maximum de publicité à la déclaration que leur Premier ministre va faire dans les heures qui viennent. Cette déclaration concernera une découverte de nature à redistribuer les cartes de la puissance dans le monde et de redonner leur chance aux peuples exploités et opprimés... C'est le texte que j'ai sous les yeux.

— Eh bien ! souffla le Président, eh bien ! Qu'allons-nous pouvoir faire ?

— Je vous suggère de réunir aussitôt que possible l'Etat-Major de crise.

— Vous croyez que la situation l'exige ? Après tout, la France n'est qu'un pays fini, en quoi un éclair de lucidité de sa part peut-il nous inquiéter ?

— Notre S.S.T., sans compter d'innombrables projets de l'aéronautique et de l'espace peuvent être remis en question. Les « Majors » ne l'accepteront pas, c'est évident.

— Je sais... Sercati et son entourage m'ont fait part de leur inquiétude légitime... Eh bien, soit...

*
**

Pour la presse, la télévision, les observateurs

étrangers, la photo choisie montrerait le Président Conway, menton levé, légèrement projeté en avant, bouche volontaire, regard bleu, posé, glacial, sur un horizon imaginaire, entouré des faces de bouledogues et des crânes bosselés des plus connus parmi les responsables civils et militaires, ceux qu'il fallait montrer pour rassurer.

Mais pour le moment, la réunion extraordinaire de l'Etat-Major de crise convoqué à la Maison-Blanche s'achevait dans la fumée des cigares et cigarettes, en dépit des puissants extracteurs d'air et des filtres surdimensionnés. Presque sans interruption, devant le Président et certains des plus importants parmi les assistants, l'écran du téléimprimeur s'illuminait, apportant une nouvelle information au dossier déjà lourd de l'affaire S.S.T.F.

— Vos conclusions, messieurs, demanda enfin Nelson Boulder Conway avec une moue d'agacement. Vous d'abord, Harold, en qualité de chef d'Etat-Major des Armées.

— Cette invention, que l'on dit française, si elle est bien réelle, va passer entre les mains des Soviétiques et de ce fait devient une menace pour la sécurité des Etats-Unis et la paix du monde. Les propos échangés dans cette réunion prouvent, s'il en était besoin, que le problème doit être pris au sérieux. Tous les moyens doivent être employés pour minimiser les effets dangereux ou regrettable de cette intrusion des Français dans un domaine qu'ils sont incapables de maîtriser.

— Précisez, voulez-vous ?

— Nous possédons des unités d'intervention, des Agences spécialisées dans l'action directe et discrète, des commandos parfaitement entraînés et tout à fait opérationnels, comme ils viennent de le démontrer lors de notre intervention dans les émirats du golfe Persique. Il est donc possible, en agissant vite, bien et sans tenir compte des épouvantails, de neutraliser les quelques installations gênantes, dont le nombre ridicule accentue la vulnérabilité. La destruction corrélative des supersoniques en cours de modification obligera les Français à reconsidérer la question de l'utilisation de la découverte, ce qui permettra à nos services spécialisés de faire une offre à bon escient. Nous devons garder en mémoire que la France est un de nos adversaires les plus résolus et ne perd pas une occasion de nous le démontrer. Les réactions de Paris à la suite de notre juste intervention au Moyen-Orient, ont été ressenties dans l'Armée des Etats-Unis comme autant d'injures et de gifles. Le roquet, faute de pouvoir mordre, aboie.

— Permettez..., intervint Archibald Horace Stevenson, le secrétaire d'Etat aux Affaires étrangères, dont les traits tirés témoignaient de l'intensité du surmenage auquel il était soumis. Je ne peux pas être d'accord avec des arguments de pure passion faisant fi des réalités de la géopolitique. Nous n'avons aucun intérêt à nous laisser entraîner dans une nouvelle guerre froide qui deviendrait rapidement très chaude. L'Europe des pays latins devient particulièrement hargneuse à notre égard. Les nations qui la constituent ne nous pardonnent pas les décisions et interventions unilatérales que nous ne nous donnons pas même la peine d'expliquer. Au train où vont les choses, la solution du genre de celles préconisées par l'Etat-Major des Armées nous conduisent tout

7

droit à la rupture définitive avec la majeure partie de l'Ancien Continent. Accepter cela, c'est admettre la déstabilisation des quelques nations propriétaires de plus de la moitié du domaine industriel et commercial de tous ces pays.

— Fort bien, admit N.B. Conway, seulement, donnez-nous un moyen pour éviter que cette invention diabolique ne passe de l'autre côté et ne compromette certains de nos projets.

— J'ignore le caractère diabolique de l'invention, ne sachant d'elle que ce qui a été communiqué par nos services spécialisés : pratiquement rien. Mais en revanche, je considère que nous pourrions utiliser notre diplomatie en toute liberté. Avec quelques pressions bien menées, aux endroits critiques et au bon moment, nous devrions convaincre un gouvernement français aux abois qu'en traitant avec nous, et nous seuls, les modalités de cession de cette découverte, il aura quelque chance de tenir... d'obtenir un sursis. Il ne nous est pas difficile de démontrer que c'est l'Amérique qui dispose à la fois de l'argent et des cerveaux.

— Je préfère évidemment votre solution, Archie, mais comment espérez-vous l'employer ?

— Par les méthodes les plus classiques. En me rendant immédiatement à Paris avec le Vice-Président Lonsdale, par exemple, pour bien marquer l'importance que nous attachons à cette visite extraordinaire. Ensuite, séquence habituelle des conversations menées à tous les niveaux. Nous avons sur place de très bons éléments au courant de ces questions. Nous connaissons la réalité française aussi bien, sinon mieux, que le Premier ministre en place. Nous rencontrerons les chefs politiques de l'opposition. Il n'est pas dit qu'une occasion ne soit pas nichée derrière les remous causés par nos interventions. L'opposition de la droite est de plus en plus active, avec la croissance du chômage et la perte des illusions. Nous tenons une bonne partie de la presse et du patronat. Nous avons des agents sûrs dans les syndicats. Tous ces gens n'attendent qu'une chose, l'après-chaos, c'est l'expression à la mode. En fermant un peu plus le robinet du pétrole et des produits de compensation, nous acculerons Arsène Carré à se soumettre ou à se démettre. Et dans cette seconde hypothèse, nous monnaierons notre soutien à son successeur... Bref, du classique, du discret, du sûr, qui ne risque pas d'entraîner de réactions dangereuses de l'U.R.S.S. Il ne faudrait tout de même pas oublier l'existence de celle-ci.

— Nous connaissons cette musique, Archie, bougonna le secrétaire à la Défense, Arthur Holzinger. L'ennui, avec vous, les diplomates, c'est que vous comptez sur le temps, la lassitude des foules et de leurs dirigeants ou je ne sais quelle intervention divine. Moi, je ne connais rien de l'avenir immédiat. Je vis au jour le jour avec la peur du lendemain. Et quand je regarde s'agiter un peuple aussi hargneux et imprévisible que celui de la France, quand je constate que depuis plus de dix ans la catastrophe est permanente et que pourtant le bassin méditerranéen survit, je prétends que tout est possible, donc à redouter. Supposez que leur supersonique que l'on nous a décrit, voici peu, comme bon pour la casse, réussisse quelque chose de spectaculaire, d'ahurissant, de nature à emballer la masse ignorante et que le gros bonhomme de Premier ministre sache parler à cette masse. Vous allez voir que les restrictions envisagées par la diplomatie vont engager les bouffeurs de fromage et buveurs de beaujolais à se serrer les coudes une fois de plus. Votre révolution, vous l'attendrez suffisamment longtemps pour que Servoukof passe en revue sur la place Rouge les premiers Condorski porteurs de la bombe N. Voici ce que je pense.

— C'est un avis, Arthur, pas une conclusion.

— Ma conclusion ? Elle rejoint celle du chef d'Etat-Major des Armées. Agir avec décision, rapidité, brutalité. Nous devons regarder le danger en face. Les Français nous haïssent. Nous avons tout ce qu'ils n'ont pas. Nous sommes tout ce qu'ils ne sont pas. Nous roulons librement en bonne voitures à essence et ils pédalent sur leurs cycles ridicules. Nous éclairons nos rues et nos boutiques quand ils se chauffent au bois et au charbon. Ils choisissent toutes les occasions de se dresser contre nous et de joindre leur voix à celles du bloc communiste. Est-il besoin de rappeler que nous avons perdu un de nos avions les plus précieux et son équipage par un tir direct et ajusté de fusées antiaériennes ? Il fut un temps où il eût été logique de recourir aux représailles. Nous n'avons aucune raison de prendre des gants. Toute découverte technique importante, faite en Europe, doit nous revenir, de gré ou de force. Sinon, elle passe à l'Est.

— Nous connaissons les rancunes, héréditaires sans doute, du secrétaire à la Défense, fit observer posément le sénateur Donball, conseiller pour les affaires européennes. Pour ma part, je ne crois pas un instant à la sagesse de telles mesures et je le dis bien haut. Désolé, Arthur. A moins de déclarer ouvertement la guerre à la France pour une histoire d'avion mangé aux mites et qui vole trop bien, si nous en croyons les avis contradictoires de spécialistes aussi éminents les uns que les autres. Outre qu'une telle attitude nous couvrirait de honte, elle nous engagerait immédiatement dans un conflit global. Soyons sérieux. Laissons les pistolets au vestiaire. Nous disposons de moyens de pression économique aussi discrets qu'efficaces. La General Electronic, à elle seule, contrôle 47 pour 100 du marché français. Arsène Carré vendrait sa mère pour éviter l'explosion sociale. Il suffit de palabrer et de payer. Avec trois millions de chômeurs, la situation est catastrophique. On commence à compter les morts devant les arsenaux et sur le carreau des mines. Les aciéries sont fermées et on ne voit pas par quel miracle elles rouvriraient. On assiste partout à la contestation de l'Etat. Nous pouvons donc intervenir soit en aidant celui-ci à renforcer sa position, soit en l'enfonçant définitivement. Pour cela, il faut que notre politique du moment coïncide avec nos intérêts à long terme. Voulons-nous ou ne voulons-nous pas un régime de gauche à Paris ?

— Excellente analyse, qu'en pensez-vous, Archie ?

— Le plus grand bien. Je crois qu'il est sage de préférer un gouvernement légal de gauche à l'établissement de l'anarchie à Paris.

— Avec votre permission, monsieur le Président, je ne considère pas que ces formules élastiques et trop diplomatiques s'appliquent à la conjoncture, objecta le chef d'Etat-Major des Armées, plus que jamais renfrogné.

— Nous en prenons note et nous savons que vous êtes les garants ultimes de la paix américaine, assura Nelson Boulder Conway avec force en regardant l'un après l'autre les onze militaires présents. Mais nous ne pouvons prendre le risque d'une conflagration nucléaire globale, pour une découverte dont nous ne savons pas grand-chose, si ce n'est un aspect extérieur accentué par une propagande extrêmement habile. D'autant que le passé nous prouve que toutes les inventions ayant un caractère exceptionnel sont arrivées toutes chaudes dans nos unités de recherche et d'exploitation. En dehors de quelques-unes, rares, passées de l'autre côté.

— Précisément, monsieur le Président. N'oublions pas que le gouvernement français est plus porté vers Moscou que vers Washington. Les échanges culturels et techniques sont devenus monnaie courante. Les missions militaires se succèdent et circulent partout. A se demander si un jour, un matin, Paris ne va pas se réveiller avec un Politburo à la Chambre des Députés et une troïka à l'Elysée.

— Ce serait un problème de politique intérieure, général Wood, coupa un peu irrévérencieusement le diplomate. La tendance européenne n'est pas favorable à nos intérêts, sur le plan officiel. Cela ne doit pas nous faire perdre de vue nos implantations. Et comme plusieurs des membres de ce Conseil exceptionnel, je me demande si nous ne nous emballons pas pour trois fois rien ?

— Nous allons demander à notre conseiller scientifique de conclure en donnant un avis sur cette question, proposa aussitôt le Président Conway.

— Merci... En fait, déclara posément Ernest Balfinger, petit homme bedonnant aux épaisses lunettes de myope, astrophysicien de renom, avant de devenir le conseiller de la Maison-Blanche dans le domaine des sciences, nous sommes ici pour traiter en quelques poignées de minutes un sujet dont nous ignorons l'importance scientifique exacte. En cela je rejoins la prudence du secrétaire d'Etat. J'ai la copie de la dernière communication faite par Arsène Carré. Il déclare en substance que la France est la première nation de la Terre à disposer d'un vecteur non-gravifique opérationnel et que des pourparlers seront immédiatement engagés avec toutes les nations intéressées pour la mise sur pied d'accords bilatéraux d'utilisation de cette découverte. Sur la nature exacte de celle-ci, un seul mot a donc été cité : non-gravifique. Comme le suppose l'Air Force que je loue, au passage, pour sa clairvoyance, il semble donc que les études de la recherche française aient abouti dans la course à l'anti-gravitation. Si je peux émettre un avis personnel, je suis persuadé que cette découverte nous sera offerte sous peu à des conditions avantageuses.

— Mais selon vous, mon cher ami, que peut-on faire d'un vecteur non-gravifique qui soit de nature à mettre l'Amérique en danger ?

— Beaucoup de choses, malheureusement. Il ne faut pas se leurrer. Si l'Air Force a raison, le Concorde Delta Tango ne devrait peser que le dixième de son poids origine. Cela signifie qu'on peut mettre en l'air, à n'importe quelle distance du sol, une masse aussi considérable que l'on

voudra en n'utilisant l'énergie que pour sa propulsion. Vaste ouverture sur l'espace vers lequel
on pourra envoyer un engin de la grandeur d'un
sous-marin nucléaire avec une fusée postale... C'est
une image, bien entendu. Tous les domaines de
la technique seront bouleversés. Notre projet
General Eletronic-Bœing de Centrale Solaire Spatiale sera à revoir entièrement, pour ne citer que
lui. Or, nous sommes à la période des engagements de dépenses...

— Je vois...

— Il nous faut ce gadget, trancha un homme
demeuré jusque-là silencieux, Lewis Oscar Tosello,
conseiller en matière économique. Nos compagnies sont seules capables de faire fructifier des
découvertes de cette importance. Nous avons
suffisamment prouvé notre savoir-faire pour assurer que si nous engageons la lutte pour l'obten-
tion de ce système anti-gravifique, nous l'aurons.
Et les autres ne l'auront pas. La General Electronic et ses filiales suivent cette affaire depuis
ses prémices. Nous disposons de certaines informations ultra-confidentielles qui nous laissent
supposer que les responsables français du projet,
bien que protégés d'une manière remarquable et
assez nouvelle, sont vulnérables.

— Vous savez toujours beaucoup de choses,
monsieur Tosello, fit remarquer l'amiral Haig avec
aigreur.

— L'Amérique doit sa fortune actuelle et de
ne pas avoir plongé dans le gouffre de l'énergie
nulle à l'activité des « Majors ». A chacun son
rôle, amiral. Nous comptons sur la Marine pour
défendre nos côtes et nos lignes de communica-
tions. Mais derrière cette protection qui nous est

due, nous agissons. L'intérêt de la General Electronic est celui de l'Amérique, personne ne peut
en douter. Peut-être vais-je vous faire toucher du
doigt l'importance que le gouvernement français
attache à la découverte en question en vous
signalant que nous avons perdu physiquement
dix-sept de nos agents, parmi les meilleurs.

— Que nous dites-vous là ? s'exclama Alexander
Marenski, responsable de la C.I.A. auprès de la
Présidence.

— La vérité. Vous en connaissez un bout, vous
admettrez que nous puissions tenir l'autre.

— Pas sûr, observa doucement le général David
Osten, représentant de l'Air Force dans l'Etat-
Major de crise. A moins qu'il n'existât une pelote
avec des bouts partout. Car nous suivons cette
curieuse affaire depuis longtemps, nous aussi. Je
rappelle que ce qui est connu des transformations
subies par le S.S.T. français provient de notre
centrale de renseignements.

— Messieurs, nous ne sommes pas réunis pour
comparer vos différents mérites mais pour découvrir une solution rationnelle au problème posé
par une découverte inattendue. Vous aviez entrepris de nous raconter vos efforts, monsieur Tosello, peut-être pourriez-vous nous faire connaître
vos conclusions ?

— Merci. La position des « Majors » est la suivante : tout ce qui touche à l'anti-gravitation est
du domaine des connaissances essentielles pour
l'Union. Il est inacceptable de laisser à l'Europe
l'usage d'instruments de progrès dont nous n'aurions pas le contrôle. Le risque des les voir utilisés par nos adversaires potentiels est trop important, d'une part, et nous devons demeurer la

nation phare de la civilisation, d'autre part. Les
idéaux socio-politiques européens en général et
français en particulier nous sont totalement oppo-
sés. Il serait inconvenant que les Etats en régres-
sion constante se retrouve soudain faire leur loi.
Une loi dont nous savons qu'elle sera dirigée
contre nous. L'exemple du pétrole n'est pas à
renouveler. Il est inutile de ménager des nations
incapables de s'unir autrement que sur notre dos
ou pour nous piller nos dollars. Nous devons
donc intervenir immédiatement sur tous les plans,
militaires, diplomatiques, économiques, financiers,
sociaux, afin d'obtenir le gel immédiat de cette
découverte en attendant que nos spécialistes aient
pu l'analyser en détail afin de juger de l'intérêt
de son éventuelle utilisation.

— Vous voulez recommencer le coup des piles
à combustible et des cellules au silicium amor-
phe, Lewis, je ne suis pas certain que vous y
parviendrez cette fois, fit observer Erskine Donball, que son poste de sénateur mettait hors de
portée des réactions dangereuses des mandants
de Lewis Tosello. Bien que moins informés, en
certains domaines, que la General Electronic,
nous savons quelques petites choses. Et notamment qu'avec les races latines, les Français, il
faut faire preuve de psychologie. La force les
hérisse et les révolte. Quelqu'un ici a parlé de
roquets. Peut-être, mais il faudra des mollets
blindés pour se risquer là-bas si on force un peu
trop. Un seul homme, une seule femme peuvent
faire basculer ce peuple de l'apathie hargneuse
à la révolte triomphante et contagieuse. Essayons
d'avoir de la mémoire.

— Votre prudence vous honore, monsieur le

sénateur, reconnut le Président Conway. Mais enfin, la France, ce n'est rien... ou tout au moins pas grand-chose.

— La contagion des révolutions précédentes a touché la presque totalité des pays européens, sans oublier ce que le nôtre doit à la première de toutes, monsieur le Président.

— Nous voici à deux siècles du sujet.

— Hélas, je crains bien que non. Nous sommes les seigneurs de la libre entreprise, les rois des multinationales, mais osez seulement le déclarer dans une réunion en France et vous n'en ressortirez pas entier.

— Ce sont des propos défaitistes. Nous avons des dollars, la force, la puissance et un idéal de bien-être et de paix. Nous devons avoir le courage de l'imposer. Ce devrait être une vocation, déclara Arthur Holzinger avec force.

— Et ce ne sont pas des mangeurs de grenouilles et de fromage, des buveurs de vins frelatés, des alcooliques dégénérés qui pourront se targuer de nous avoir fait hésiter, ponctua le chef d'Etat-Major en quelques coups de bajoues et de mâchoires.

— Grenouilles... fromage... vins... peut-être alcool..., ironisa Erskine Donball, voici ce que nous allons recommander à nos chercheurs de Stanford, Caltech et du M.I.T. pour leur stimuler le cerveau. Il ne faudrait tout de même pas oublier que l'invention existe et qu'en ce moment même le Concorde vole avec une structure âgée de vingt-cinq ans et on ne sait quoi à l'intérieur.

— On dirait réellement que vous êtes heureux de constater ce véritable défi à notre expansion économique ! s'exclama Arthur Holzinger.

— J'admire, en effet. Et personne ici ni ailleurs ne pourra m'en empêcher. Je souligne au passage, pour les audacieux, la manière dont le secret a été préservé et qui dénote un changement dans l'organisation française, même s'il n'est que provisoire.

— Eh bien... nous le saurons incessamment, déclara Lewis O. Tosello. Je peux assurer l'Etat-Major que la G.E. est favorable à une action immédiate sur tous les plans.

— C'est ainsi que nous allons décider, confirma le Président Conway, tout ragaillardi. Les Etats-Unis...

CHAPITRE XVII

Dans le quadriturbopropulseur à soufflantes qui les ramenait de Laiena à Toulouse, Noelle et Jacques avaient du mal à dissimuler leur impatience. Avec eux, sur deux rangées de sièges placés derrière la cloison séparant du poste de pilotage, les ingénieurs et techniciens rapatriés comme eux, puis d'énormes conteneurs bourrés de l'équipement le plus précieux qui serait aussitôt remonté ailleurs. Où, personne n'en savait rien.

Le vol s'écoulait, monotone, fait de longs coups d'ailes permis par les turbo soufflantes, coupés d'escales techniques pour refaire le plein de carburant sur des terrains choisis. Pas question de quitter la proximité immédiate de l'appareil géant pour se dérouiller les jambes. La consigne était de rejoindre Toulouse au plus vite et l'énorme engin fonçait régulièrement à 850 kilomètres à l'heure, dans le bourdonnement sourd de ses curieuses hélices multipales.

Jacques et Noelle ne quittaient pas les deux émetteurs Genon qui formaient, avec ceux de

Michel et Julie, l'ensemble des moyens a-gravifiques de la France.

Ils venaient de quitter Yesilkoy, dernière escale avant la France et Jacques venait de faire remarquer à sa compagne qu'ils ne prenaient pas d'altitude, piquant vers le large au ras des vagues, quand le commandant de bord les appela dans la cabine de pilotage, pour une communication urgente. Ils se regardèrent, un peu anxieux et d'un même geste caressèrent l'étui de Genon suspendu à leur cou par sa courroie, comme un vulgaire appareil photo.

— Bonjour, heureux de vous accueillir ici, monsieur et madame, fit le commandant tout blond dont les lunettes polarisantes cachaient les yeux. Nous avons reçu des consignes qui ne manquent pas de saveur. Comme vous l'apercevez, nous faisons du rase-vagues, ce qui n'est pas la mission habituelle de ce modèle d'avion gros porteur, même s'il a toutes les qualités requises pour l'assumer. Il semble que nous intéressions beaucoup de monde, subitement, au point que nos alliés turcs nous font une escorte en altitude, en attendant que nos intercepteurs de Sollenzara prennent le relais... Comme vous le voyez, nous éviterons la Grèce et l'Italie pour glisser le long de la côte algérienne et remonter tout droit d'Oran à Perpignan puis Toulouse... Pour nous, le plus court chemin n'est pas la ligne droite.

— Vous croyez que nous risquons réellement quelque chose ? demanda Jacques, sans cacher qu'il en doutait.

— Sans aucun doute. Depuis notre décollage, les choses se sont aggravées. Cet itinéraire a été choisi par moi, sur ordre. Nous sommes attendus sur la route du plan de vol soumis aux autorités de Yesilkoy...

— Mais enfin... Nous sommes bien en 1990 et au-dessus d'une mer dont tous les riverains sont nos alliés ! s'exclama Noelle, ahurie.

— C'est juste, mais malheureusement insuffisant. Le Coca Hecto vient d'être descendu devant nous voici trois heures.

— Ce n'est pas vrai ! s'écria la jeune femme portant ses poings à ses lèvres.

— Ils étaient seize à bord... et je crois que vous connaissiez tout le monde, madame... Non, ce n'est pas une plaisanterie. Nous savons que vous représentez beaucoup de chose pour certains mais nous ignorions que vous étiez devenus des cibles...

— Je... Nous ignorons tout, balbutia Jacques, les jambes coupées.

— Je m'en doute. Cela fait partie des coups fourrés d'amis ou d'adversaires aigris. Les Américains n'ont jamais digéré la perte de leur avion de reconnaissance dans le Pacifique, au début de vos expériences.

— Ce fut un accident !

— Pas pour ceux qui savent. Il a été cueilli en altitude par une fusée de notre porte-hélicoptères après avoir franchi les limites de l'espace interdit. Il n'avait pas une chance.

— Mais pourquoi ?

— Pour protéger un secret dont je ne sais rien mais que vous connaissez sans doute. En tout cas, pour les veuves et les orphelins des copains qui viennent de faire un trou dans l'eau, ce sera un accident, tranquillisez-vous.

— Vous croyez que nous sommes responsables ? demanda Noelle d'une voix blanche.

— J'en serais étonné, mais il est à peu près certain, au vu des ordres, que c'est bien vous qui êtes visés. Je voulais vous avertir. Nous ferons pour le mieux mais nous sommes totalement désarmés et cette grosse machine, excellente et rapide en altitude, n'a pour elle que sa tenue remarquable par tous les temps. Au ras de l'eau, nous sommes pratiquement invisibles aux radars. Mais évidemment, pas aux très bons observateurs aériens. Il peut y en avoir.

— Quand aurons-nous une véritable escorte ?

— Disons... au milieu du trajet... Jusque-là, patience. La météo est mauvaise, ce qui nous est favorable. Nous entrerons dans une perturbation orageuse d'ici une trentaine de minutes... Ceci nous permettra de passer plus sûrement. Il faudra vous sangler car nous danserons pas mal.

— Merci de nous avoir avertis, grelotta Noelle, les jambes en coton.

— C'est tout à fait normal. Nous sommes embarqués sur la même galère. Suivez bien les instructions du sergent qui va passer dans la cabine vous donner les conseils pour l'utilisation des dinghies et des différentes issues en cas de pépin.

Ils regagnèrent leurs sièges, les traits tendus et n'échangèrent pas un mot jusqu'à l'arrivée du jeune sergent aviateur dans sa tenue de vol, très décontracté, qui fit une démonstration de plusieurs minutes devant les ingénieurs passablement inquiets, sur tous les moyens de sauvetage prévus à bord. Mais il n'aborda pas la véritable raison de son intervention. Il se contenta d'annoncer la traversée de la perturbation et s'en fut comme il était venu.

Six heures plus tard, après avoir été secoués comme jamais ils ne l'avaient été, le cœur retourné, la bouche pleine de fiel, ils entendirent l'annonce qu'ils n'espéraient plus, tant ils avaient été malades. Toulouse à dix minutes de vol. Cela agit comme un calmant sur les passagers. Ils défilèrent aux lavabos du bord, retrouvèrent une apparence humaine, ne conservant que les traits tirés, les yeux cernés et les joues creuses des victimes du mal de l'air, aussi déprimant que son homologue de la mer.

L'énorme machine se posa sans un heurt et roula longtemps avant de s'immobiliser devant un hangar militaire. Les grandes hélices courbes à douze pales tournaient encore quand un tracteur accrocha la perche et attira le géant à l'intérieur du hangar dont les portes se refermèrent derrière lui.

Surpris de se trouver à l'intérieur du hangar, Noelle et Jacques le furent plus encore de reconnaître Lucien Gallois, en combinaison de vol, attendant paisiblement au pied de la rampe d'évacuation.

Il leur serra la main silencieusement et ses yeux clairs se posèrent sur ceux de Noelle qui devina qu'il était anxieux et préoccupé.

— Ne me demandez rien pour le moment, voulez-vous ? Prenez vos affaires personnelles et veuillez me suivre.

— Où allons-nous ? demanda Jacques Donat les oreilles bourdonnant encore du bruit des hélices.

Un ombre de sourire passa sur les traits tendus de Lucien qui fit un geste évasif de la main mais ne répondit pas.

Leurs sacs P.N. à la main, Jacques et Noelle, décontenancés, ne purent même pas remercier l'équipage et durent suivre leur guide, s'étonnant de plus en plus du nombre impressionnant de soldats en armes, formant ici et là des groupes ordonnés et les regardant passer avec curiosité.

Ils traversèrent le hangar qui abritait plusieurs appareils semblables au leur et sortirent sous la lueur crue du soleil. Jacques regarda autour de lui et eut un haussement d'épaules. Il ne se souvenait pas de ce terrain à Toulouse et supposa qu'on les avait fait atterrir soit ailleurs, soit sur une base militaire proche de la ville occitane. Un camion militaire attendait, sans signe distinctif, hormis sa plaque d'immatriculation couverte de boue séchée. Lucien aida Noelle à escalader le marchepied arrière, lui passa les sacs P.N. et monta derrière Jacques pour s'installer auprès d'eux. Le rideau arrière fut rabattu et l'engin se mit en route avec le bruit caractéristique du moteur électrique.

L'estomac toujours perturbé, Noelle et Jacques évitèrent de bouger et de parler durant le trajet qui dura quelques minutes. Ils descendirent du camion pour embarquer sans attendre dans un avion léger dissimulé sous un toit de toile. Aussitôt sanglés, Lucien se glissa au poste de pilotage, fixa ses harnais et lança le moteur. Moins d'une minute plus tard ils se trouvaient en l'air, et Lucien poussa un long soupir de satisfaction.

— Pour le moment, ça va, s'exclama-t-il en pilotant d'une main sûre, prenant un cap plein ouest.

Nous allons rester à cinq cents pieds. J'espère que vous vous êtes habitués à l'avion...

— De trop, maugréa Jacques. Nous venons tous d'être malades comme des cochons.

— Ah... Prenez ça, fit-il en leur tendant une petite fiole plate. Ne craignez rien. Vous allez avoir l'estomac tout de suite en place. Il le faut.

Ils burent chacun une gorgée de la chose, la trouvèrent à la fois sucrée, amère et puante mais une fois avalée, ils reconnurent qu'elle faisait de l'effet.

— Je vous fais mes excuses pour cette réception insolite. Mais jamais vous n'avez été menacés dans vos vies comme depuis... disons quelques heures. L'annonce de l'existence du Genon et le raid Rangiroa-Toulouse ont déchaîné la meute. Tout ce qui compte dans le renseignement et l'espionnage, y compris le personnel de main, est sur place. Nous avons... très chaud. Nous venons de perdre un avion et tout le personnel à bord... Vous le savez déjà. Nous ignorons qui est responsable. Mais nous connaissons la raison. On vous attendait. Vous avez pris l'avion suivant. Ceci étant, comme je l'ai dit à Julie et Michel, félicitations. Nous avons suivi vos efforts, d'ici, et nous connaissons l'excellence des résultats.

— C'est affolant, Lucien. On se croirait en guerre, nous ne voulions pas ça, fit Jacques, la gorge serrée.

— Personne ne veut jamais que le mal surgisse d'un bien. Et il surgit. C'est bien d'une guerre qu'il s'agit. Economique. Plus impitoyable que les autres. L'enjeu est votre découverte et ce qu'elle peut représenter pour une nation. Américains et Russes se la disputent sur notre dos en estimant

qu'elle sera à l'un ou l'autre sinon à personne.
Nous nous battons pour qu'elle soit à tous sauf
à eux. Voilà la situation. C'est exactement celle
que vous souhaitiez, même si, dans votre candeur,
vous pensiez que tout resterait virtuel ; un échange
d'insultes, un jeu de poker... Une mission extraordinaire du secrétaire d'Etat américain accompagné du Vice-Président a quitté Paris aujour-
d'hui. Nous avons reçu Ygor Sebarine voici deux
jours. Pour la même raison. Ces messieurs insis-
tent pour obtenir la plus grosse part du gâteau...
et si possible le tout.

— Lucien... pourquoi tout ça ? s'exclama Noelle,
les larmes aux yeux. Nous étions heureux, fiers
de notre réussite, confiants... et voilà... le Genon
a tué, rien que des amis, des pauvres gens, pas
des responsables... Pour finir, nous devons
gibier...

— Ma chère amie, tu as été avertie. Chacun
d'entre vous a été mis devant un choix. Le plus
difficile était le plus noble aussi, le plus honnête.
Il est normal que vous l'ayez choisi... Tu ne dois
plus t'étonner de ce qui arrive, mais lutter, te
battre.

— Qui es-tu donc, Lucien ?

— Vous êtes suffisamment au fait de ce qui se
passe pour vous taire quand je vous le dirai... Je
serais incorrect vis-à-vis de vous deux comme de
Julie et Michel en le taisant plus longtemps. Je
suis officier chargé d'un service spécial, détaché
auprès de vous pour vous protéger et vous assister. Je dispose évidemment de pas mal de moyens.

— Françoise ?

— Nous formons équipe. Pour le meilleur et
le pire, dirait M. le maire si nous étions mariés...

mais les risques seraient trop grands. Ce qui ne
change rien aux sentiments.

— Laurent... Alain ?...

— Laurent... je ne sais pas, mais Alain oui...
faisait partie du groupe... Je dis faisait, parce
qu'il était dans l'avion abattu, avec trois autres
amis.

— C'est terrible, tu vois, on leur en a voulu
parce qu'on a été espionné jusque dans nos chambres... et puis après, quand on les a vus travailler,
tous avec nous, on a un peu oublié.

— Bon. Il faut retenir ceci. Votre découverte a
une importance mondiale. Mais en outre, pour
la France, elle est une chance, que nous sommes
certains à croire la dernière, de sortir de notre
merdier actuel. Le père Carré est un socialiste,
et un vrai. Il se bat de toutes ses forces et il est
aussi menacé, sinon plus, que vous autres. C'est
réellement le mot de guerre qui convient. Mais
nous réussirons.

— Tu ne dis pas : nous vaincrons ! remarqua
la jeune femme.

— J'ai un grade et une fonction et je hais la
guerre, Noelle. Pourtant, entre deux nuits à faire
l'amour avec Françoise, je mène une lutte sans
pitié... mais laissons cela.

— Qui sers-tu exactement ? demanda Jacques
avec curiosité.

— Une certaine idée. La vôtre sans doute pour
l'instant. Tu ne crois pas que cela puisse en valoir
la peine ?

— J'aimerais mieux que tu me dises comment
tout ça va finir.

— Nous n'en sommes qu'au début. Nous voici
à la côte. Nous allons la suivre à un mille de

large. Ce sera plus discret. Nous sommes protégés par un parapluie sérieux mais il faut penser
que ceux qui en veulent au Genon sont équipés.
La partie est presque égale. Le vainqueur sera le
plus tenace ou le plus malin.

— Je ne comprends pas... pourquoi en veulent-
ils à notre peau ? demanda Jacques, révolté.

— Ils vous veulent surtout vivants. Et il est
évident que nous ne tenons pas à vous savoir
entre leurs mains. Aucun d'entre vous ne tiendrait
deux heures à leurs moyens de persuasion.

— C'est positivement ignoble et dégueulasse,
grinça Noelle en regardant défiler la côte sur la
droite de l'appareil. Où nous mènes-tu, si toute-
fois tu veux nous le dire ?

— Nous rejoignons Julie et Michel qui ne perdent pas leur bronzage, aux environs de Guérande. Mais il faudra vous attendre à changer
souvent de pigeonnier. Pour en revenir à ta
remarque précédente, Noelle, songe que le Genon
est plus important pour l'humanité que les microprocesseurs ou l'énergie plasmique. Et tandis que
des milliards de dollars ou de ce que tu voudras
ont été dépensés en pure perte pour les Tokamaks
et autres monstres chargés de fabriquer du soleil
sur Terre, vous arrivez, la gueule enfarinée, avec
un truc qui vaut cent fois cette somme fabuleuse
et qui n'a coûté que la dix millième partie. Avoue
qu'il y a de quoi chambouler le cerveau des responsables de l'économie des nations.

— Nous n'arriverons à rien, soupira la jeune
femme.

— Mais si. Tu as le pays avec toi. Le père Carré
monte l'opinion pour ça. Des commissions scientifiques étudient déjà les prolongements du vol qui

va remuer les ambassades. Un astronef interstellaire est en projet. Ton ami Sainval a reçu mission d'en étudier les grandes lignes avec une poignée de grosses têtes. On espère que plusieurs nations participeront à son étude et à sa réalisation.

— Il semble que vous n'ayez pas chômé, à Paris, reconnut Jacques.

— Un mot à ne pas employer en ce moment, fit Lucien, parce qu'il faudra du temps pour lancer les programmes. Il faut tenir. Et nous avons déjà sur place les agents de l'autre bord, je veux dire des Etats-Unis, qui cherchent à provoquer des troubles en lançant fausses nouvelles sur fausses nouvelles. Plus on en élimine plus il en sort. Nous avons les multinas contre nous. Vous ne pouvez pas imaginer la puissance et la hargne de ces gens inconnus, mais vous pouvez facilement recréer leurs bureaux géants, la fumée de leurs cigares, leurs téléphones et leurs dents de requins. Dans leurs mains les ficelles avec lesquelles ils font remuer les pantins... les hommes politiques de ce grand pays.

— Parce que ce n'est pas pareil chez nous ? demanda Noelle, ironiquement.

— Absolument pas. Les groupes de pression d'origine locale existent. Mais ils sont sans influence désormais. La peur du chaos. Tandis que les « Majors », ces énormes compagnies qui sont en fait la puissance réelle des Etats-Unis, ont lancé l'offensive pour conquérir le Genon. Embargo économique sans précédent. Pour bien marquer leur volonté d'obtenir par la force ce que nous leur refusons ils viennent d'interdire le survol de leur territoire à tout aéronef équipé

du Genon ; sous prétexte qu'il n'est pas homolo-
gué par la F.A.A. Ils espèrent entraîner dans leur
sillage quelques alliés sûrs mais nous avons la
majorité pour nous. Ce qui nous permettra de
survoler le Mexique proche en adressant au peuple américain un message de condoléances.

— Pourquoi condoléances ?

— Pour la liberté qu'ils ont perdue au profit
des trusts.

— Peut-être... tu as raison, mais ils en rede-
mandent et ne conçoivent pas une autre vie.

— Je sais. Qu'ils jouissent donc de leurs rentes
sur leur territoire et foutent la paix aux pauvres.

— Et les Soviétiques ?

— La méthode est différente, mais la volonté
d'obtenir un succès est au moins aussi grande.
Nous étudions actuellement certaines de leurs
propositions. Tu sais... il faut que je vous fasse
part d'un problème préoccupant. Marc Doublet
a fait son rapport. Pas besoin de demander ce
qu'il pense du Genon et de l'alliance avec Concorde. Pour lui, vous êtes quatre petits dieux.
Mais salement emmerdants. Parce qu'il n'aime
pas que sa vie et celle de son équipage dépen-
dent de l'état d'âme de l'un ou l'autre des posses-
seurs des émetteurs U.H.F. Bon, ce n'est pas
exactement un secret. Nous pourrions sans doute
risquer le coup et en prendre possession, quelle
que soit votre volonté. Ce n'est pas notre méthode.
Il va falloir que vous régliez entre vous cette
question.

Noelle hocha lentement la tête. Elle attendait
depuis un moment que soit fait allusion à leur
tout ou rien. Logique.

— J'ignore ce que veut faire Julie. Laisse-nous

le temps de réfléchir. Nous débarquons dans une atmosphère de crise qui est bien différente de la douce torpeur de Laiena. Nous allons nous réunir et en discuter... Je considère, en première approche, qu'il serait fou de disperser les Genon actuellement. Mais sous réserve que tu sois certain de la protection que tes gens assurent. Parce que plus il y aura d'appareils à protéger, moins vous pourrez agir avec efficacité.

— Tu ferais un bon patron des services secrets. L'ennui, c'est que tous les pilotes ne sont pas Marc Doublet qui savait pouvoir vous faire confiance. Dick l'aurait suivi les yeux fermés. Mais par exemple tu ne feras pas voler Delapril et Nègre dans les mêmes conditions.

— C'est regrettable, ils resteront au sol, je n'en ai rien à foutre, trancha Noelle. Je sais que Delapril n'a pas cessé de râler. Quant à Nègre, son copilote, il a passé son temps à recopier sur un papier ce que nous faisions devant nos consoles. S'il appartient à ton organisme, tu peux le foutre dehors, c'est un bon à rien.

— Eh bé ! Tu n'as pas perdu de tes crocs, Noelle, dans la torpeur du lagon.

— Lucien, mais ne comprends-tu donc pas que nous ne voulons pas ça, pas cette fausse guerre, pas cette insécurité, pas ces crimes... Nous voulons seulement que le Genon serve à tous... quand nous aurons fait comprendre ça, nous partirons... c'est simple.

— Ma chère Noëlle, dis-toi que tous ceux qui s'intéressent à la question n'ont aucun de tes scrupules.

— Pas même toi, c'est ça ?

— Ne sois pas stupide. Je n'ai pas l'impression

de mériter ce que tu viens de dire. Le père Carré
est la seule personne à qui je doive des comptes.
Je le respecte. Il faut que tu retiennes bien ça
si tu veux que nous restions copains.

— Je ne m'habituerai jamais à être gibier.

— Et pourtant tu es devenue l'un des quatre
êtres humains les plus convoités de la Terre, les
trois autres étant tes amis. D'un côté les multinas,
de l'autre la grisaille anonyme d'un pouvoir dont
on ne sait pratiquement pas qui l'exerce derrière
la gérontocratie capable de faire sauter le système
solaire entier.

— Tu es tout à fait rassurant, sais-tu ? grinça
Noelle furieuse.

— C'est pour ce que tu as dis à mon sujet.

— Rancunier, en plus.

— J'en ai le droit comme toi.

— Arrête, Lucien. Je dis pouce, cela ne m'amuse
pas, tu sais.

— Ne te fais pas de bile. J'ai la peau coriace.

CHAPITRE XVIII

La mer. Des centaines de voiles de toutes les couleurs piquetant la baie qui se veut plus belle que les autres, atlantiques ou méditerranéennes. Le temps est au beau et le soleil chauffe en dépit de la brise qui a du mal à former un clapot. Sur le pont du voilier que barre Lucien Gallois, Françoise surveille les alentours, jumelles suspendues au cou. De temps à autre, elle observe le changement de cap de l'un ou l'autre des dériveurs ou quillards les plus proches puis abandonne les jumelles entre ses seins parfaits.

Sur le pont, Julie et Noelle somnolent, goûtant cet intermède dans leur vie de recluses. Une vie qui leur pèse de plus en plus. Jacques et Michel, restent dans l'habitacle, de chaque côté du barreur. La Baule forme l'horizon de l'est et sa plage couverte de parasols multicolores s'est enfoncée derrière le bleu frisotté d'une eau encore fraîche pour la saison.

— Je crois que nous sommes tranquilles, annonce Françoise en revenant dans l'habitacle.

— Je le pense aussi, admet Lucien après un regard circulaire. Les gars, appelez vos femmes, pour les instructions, ce ne sera pas long...

— Tu crois réellement qu'il faut tant de précautions pour bavarder ? grommelle Jacques Donat qui a du mal à masquer sa mauvaise humeur croissante devant les conditions dans lesquelles ils doivent désormais travailler, à Guérande.

— **Oui, mon vieux**... et dis-toi que plus que quiconque nous voudrions que ce soit différent, affirme Lucien.

Les jeunes femmes ne sont pas plus souriantes que leurs compagnons quand elles rejoignent l'habitacle pour s'y asseoir, fixant sur Lucien un regard interrogateur et désabusé.

— Jacques me demandait voici un moment si ces précautions étaient utiles, fait observer Lucien. La réponse est positive. La situation évolue très vite. Nous sommes informés que votre trace a été relevée si bien que le secteur n'est plus sûr du tout. Il faut bien comprendre. Nous jouons contre la montre. Le Concorde est prêt. Le premier vol de présentation officielle aura lieu dimanche, dans quatre jours. Paris-Mexico-Paris, sans escale, survol de Mexico à basse altitude en subsonique. Envoi de télégrammes de congratulations au président mexicain, à celui des Etats-Unis, le grand tralala. Mais ceci est la face aimable de l'action gouvernementale. Je n'entrerai pas dans le détail qui m'emmerde autant que vous, sans doute. Mais le socialisme à la française va porter un coup terrible à l'opposition de droite et pas seulement en France. Ce ne sont pas seulement les politicards de tout poil qui sont visés,

mais l'énorme hypocrisie que sont certains gouvernements à façade démocratique. Arsène Carré
joue une carte fantastique. Grâce au Genon. Donc
grâce à vous quatre. Le jour même où le Concorde
va décoller de Roissy, l'opération Vérité-Liberté
sera déclenchée. Pour la première fois dans l'histoire des relations entre les peuples, seront divulgués la totalité des secrets d'Etat entourant les
rapports de la France avec les autres nations.

— C'est dingue ! s'exclama Michel Viauran,
stupéfait.

— Curieuse réaction, pour un mondialiste mili-
tant, fit Lucien Gallois avec un mince sourire. Il
faut être cohérent dans ses désirs et ses actes.
Arsène Carré et le Président de la République ont
en commun d'avoir été élevés dans l'idée socialiste et d'avoir su imposer leur personnalité. Ils
estiment que le moment est venu, grâce au Genon,
de secouer une bonne fois la croûte de pessi-
misme, de laxisme et d'indifférence qui asphyxie
peu à peu le pays. Nous sommes pratiquement
certains de la neutralité de Moscou. Il y aura
escalade dans l'affrontement entre Paris et les
requins d'outre-Atlantique. A chaque tentative de
ceux-ci une parade plus dure est prévue. C'est
dans ce contexte que vous allez être, avec les
deux Concorde équipés Genon, les porteurs de la
nouvelle idée de la France.

— C'est tout simplement effrayant... mais pas-
sionnant, déclare Noelle, les yeux brillants.

— Oui. Il va falloir tenir. Vous êtes entourés,
protégés, mais toujours vulnérables, quelles que
soient les précautions prises. Ce n'est pourtant
pas un jeu de mots que d'affirmer qu'à vous
quatre vous serez les piliers de l'opération Vérité-

Liberté. Voici ce que j'avais mission de vous dire en m'assurant d'une manière absolue que vous seriez seuls à pouvoir entendre.

— Tu excuseras ma mauvaise humeur, fit Jacques Donat, le visage marqué par l'anxiété. Il faut aussi comprendre, vous autres, les meneurs de jeu. Nous ne sommes rien que des pauvres cons de chercheurs qui commençons à réaliser que notre chance va nous noyer...

— Non, Jacques, non, protesta Françoise. C'est au contraire maintenant que vous allez pouvoir constater l'importance de ce que vous avez découvert. L'opération Vérité-Liberté socialiste en France fera tache d'huile, sois certain. Les vols de démonstration de notre supersonique rajeuni serviront à démontrer que loin d'être un peuple fini, rongé par le doute, prêt à devenir le sous-traitant des multinationales américaines, nous sommes décidés à rassembler autour de nous les nations éprises de liberté, désireuses d'abandonner une fois pour toutes l'orientation néfaste prise par l'actuelle civilisation. Ce n'est pas une utopie mais une réalité. De plus, c'est dans le droit fil de la cause mondialiste que vous défendez.

— Bien sûr... comment veux-tu que nous ne soyons pas d'accord ? fit Michel avec un hochement de tête. Il n'empêche que chacun des blocs entre lesquels nous avons la prétention de jouer les tampons a de quoi faire péter cent fois le monde.

— Ne mélangeons pas, Michel, veux-tu ? coupa Lucien. Tu as raison. Mais si on admet ton point de vue, il ne reste aucun espoir. Ne crois-tu pas plus fécond de recevoir à Paris Ygor Sebarine pour traiter avec lui des conditions dans lesquel-

les ses techniciens et les nôtres pourront œuvrer
sur un navire interstellaire, plutôt que de lui
confier la décision dans son ensemble au risque
d'être écartés de la sous-traitance ? Du côté
opposé, le problème est différent. Il faut dresser
un mur entre le formidable outil capitaliste et
le Genon. Mais... je soutiens que cela en vaut
vraiment la peine. Il n'est pas question de se
prendre pour la lumière du monde, mais seulement de faire preuve, enfin, de réalisme et de
lucidité.

— Nous irons jusqu'au bout, Lucien, tu le sais,
déclare Julie, moins tendue que les garçons. Nous
comprenons et nous admirons le père Carré. Un
sacré bonhomme. Pour le reste, c'est de la politique à l'échelle du monde. Et je souhaite que
ça réussisse, parce qu'alors le mondialisme deviendrait une réalité. L'ennui, c'est que nous ne sommes pas aussi courageux que nous en donnons
l'impression...

— Je soutiens le contraire à cent contre un !
s'exclama Françoise, cambrée, offrant un corps
magnifique au bronzage étonnant. Nous aimons
tous vivre. Mais je vous en supplie, vous, qui avez
la formidable chance d'être la clé de ce qui va
se jouer, ayez conscience de votre force et de
votre valeur.

— Quand tu parles et qu'on te regarde, il est
certain qu'on se sent regonflé à bloc, fit Noelle
avec un rire.

— Lucien et moi considérons que cette mission
est la plus belle, la plus fantastique jamais
confiée à... des gens comme nous.

— Bon... nous partons donc dimanche pour

Mexico, fit Jacques Donat en se détendant à son tour. Comment cela va-t-il se passer ?

— Comme d'ordinaire, deux d'entre vous pour contrôler le Genon. Mais cette fois le Concorde emmènera un certain nombre d'huiles plus ou moins lourdes pour marquer le coup. De plus, un battage terrible a commencé pour attirer la foule à Roissy où aura lieu une démonstration du second Concorde, avec évolutions lentes et prise d'altitude spectaculaires.

— Nous serons donc tous les quatre occupés...

— Oui, mais pas en même temps malgré tout... Pour les raisons bien connues.

— Et quand allons-nous pouvoir nous remettre au travail ?

— On vous construit un laboratoire spécial, les enfants, une merveille. Il est très probable que vous y retrouverez certains de vos amis du C.N.R.S. Laissez-lui le temps de sortir du sol.

— Les nouvelles sont donc dans l'ensemble meilleures que je ne craignais, constata Noelle en s'étirant...

.·.

Un passant parmi d'autres, place de l'Opéra, dans ce qui est toujours une belle capitale, en dépit de la crise européenne, la pénurie et la grogne. Les kiosques à journaux sont pris d'assaut. Les cyclistes des grands quotidiens ne parviennent plus à fournir. Le passant, vêtu d'un ensemble gris très léger, n'est pas intéressé par cette excitation anormale. Il connaît par cœur ce que la presse française monte aujourd'hui en épingle en titres énormes.

Mais ceux qui l'escortent, devant, derrière et même sur le trottoir d'en face ne peuvent s'empêcher d'échanger des commentaires à mi-voix. Il pousse la porte d'une petite agence de tourisme, rescapée de la cascade de faillites qui a emporté les neuf-dixièmes des membres de la profession et qui végète en proposant des promenades organisées, en France, en roulottes, à cheval, sur les fleuves et canaux ou même le long des côtes.

L'escorte s'est disposée alentour. Incroyable ce qu'il peut y avoir à regarder dans les vitrines parisiennes et combien le palais Garnier peut offrir de coins inexplorés aux objectifs photographiques.

La jeune femme qui se trouve derrière le comptoir a levé les yeux.

— Je cherche un itinéraire pour septembre, annonce poliment l'arrivant avec un léger accent.

— Nous avons sans doute ce qui vous convient, monsieur, fait la réceptionniste en tendant un prospectus. Première porte à droite, vous êtes attendu, ajoute-t-elle sans changer de timbre.

Le visiteur disparaît par la porte indiquée. Trois clients apparaissent par la porte de gauche et s'accoudent au comptoir. Les brochures changent de mains.

— Bonjour, Paul, bon voyage ?

— Tout est O.K., merci. Vos gens sont efficaces.

— Bien. Qu'y a-t-il de si important pour que vous désiriez cet entretien toute affaire cessante ?

— Vous le savez. Je suis épouvantablement emmerdé, Jean. Le Président est fou furieux. Les médias ont réagi instantanément aux nouvelles que vous êtes en train de répandre. Personne ne doute désormais que le système gravitation-zéro

8

ne devienne américain, s'il ne l'est pas déjà
Lorsque j'ai quitté Washington il n'était question
que des images prises par nos avions d'observation. Elles ne représentent pas grand-chose, il faut
bien le dire. Un avion vieux de vingt-cinq ans,
arraché à la ferraille et qui se paie le luxe de
voler d'une traite de Rangiroa à Toulouse sans
descendre en dessous de Mach 2,3. Et soudain la
foule américaine s'emballe... La question S.S.T. se
pose de nouveau. Boeing prend la mouche mais
n'est pas prêt... n'est surtout pas capable de présenter une machine ayant la moitié seulement de
l'autonomie de la vôtre.

— Merci de nous conforter dans notre volonté
d'offrir au monde la plus grande découverte de
tous les temps.

— *Well*, Jean, vous connaissez mon affection
pour la France. Ma femme est née ici. Pourtant
je dois vous transmettre ce que le Président m'a
chargé d'apporter. Nous voulons acheter, immédiatement, votre procédé. Nous y mettrons le prix
que vous demanderez. Mais il nous le faut. Et tout
de suite.

— Bien. Ensuite ?

— Comment, ensuite ?

— Oui, qu'allez-vous faire pour obtenir ce procédé puisqu'il est exclu que nous vous le vendions
de suite ?

— Nous nous attendons à votre refus, qui personnellement me surprend. Nous prendrons des
mesures économiques renforcées. Vos sources
d'approvisionnement seront mises sous contrôle.
Et nous allons évidemment déclencher la première phase d'un embargo complet sur les matières énergétiques. Mais il est certain qu'en outre

nous agirons pour obtenir coûte que coûte ce système dont il est exclu qu'il puisse tomber entre les mains de qui vous savez.

— Paul, il est vraiment regrettable que vous n'ayez pas conscience, à l'échelon gouvernemental, que la France refuse désormais votre hégémonie de fait, aussi bien sur le plan technique qu'économique. Ce gouvernement, dont vous pouvez penser ce que vous voulez, est courageux. Il est soutenu et le sera plus encore dans les heures qui viennent, par le peuple entier, y compris la plus grande partie de l'opposition. Car, une fois n'est pas coutume, nous allons exposer au grand jour, à la face du monde, le contentieux France-Etats-Unis en y incluant évidemment la menace que vous faites peser sur le Genon. Je suis persuadé que vos services ont en main les premières éditions destinées à annoncer l'événement que sera le vol sans escale France-Mexique et retour. Ils y trouveront un certain nombre d'informations pleines d'intérêt sur la nature du Genon. Vous pourrez également faire savoir à votre Président que notre plan de vol initial prévoyait le survol de la côte Est, de Boston à Miami. La décision de la F.A.A. qui rappelle le ridicule de celle prise autrefois par l'autorité du port de New York, nous a conduits à choisir un pays ami voisin du vôtre. Ceci concerne la face visible de nos projets. Pour le reste, nous ne sommes évidemment pas isolés. Nous menons actuellement de très intéressantes conversations avec l'Union soviétique ainsi qu'avec ce bon M. Yang. Vous n'imaginez pas comme de telles conversations sont rassurantes. Il ne vous échappera évidemment pas qu'il est plus facile de fomenter une

révolte tribale sur un chantier africain d'extrac-
tion qu'à l'intérieur de la Chine ou de la Sibérie.

— Le grand jeu... le chantage...

— Pardon, s'il y a chantage, il n'est pas de
notre fait. Nous avons seulement prévu que
l'apparition du Genon allait donner des déman-
geaisons aux dirigeants de vos grandes compagnies
multinationales et nous avons décidé que cette
fois elles ne parviendraient pas à leur fin. Nous
sommes décidés à employer, nous aussi, les grands
moyens. Nous rendrons coup sur coup. L'Eura-
sie est un continent aux richesses immenses... le
Genon est un créateur de devises... Vous voyez
donc que les choses n'iront pas tellement mal
pour nous, une fois débarrassés de la tutelle des
« Majors ». Et comme je pense que vos requins
ne parviendront pas à vous jeter dans un conflit
global qui ne leur laisserait aucun espoir, vous
pourrez toujours imaginer ce que serait l'Amérique sans eux.

— Vous êtes étonnant, mon cher Jean. Une
nation dans l'état où se trouve la France, déclencher positivement la guerre économique contre
l'Amérique et ses alliés ! C'est insensé.

— Nous ne déclenchons rien du tout. Nous
vous avertissons que nous refusons de céder à
la pression de vos maîtres. Le monde entier se
partagera les avantages du Genon et aucune nation
ne pourra se prévaloir d'un monopole d'utilisation de cette découverte. Nous présenterons un
projet de charte mondiale dans un avenir proche.
Ne pourront adhérer à nos travaux que ceux qui
accepteront l'égalité totale des influences. Je suis
persuadé que vous y viendrez.

— Vous avez été clair. Je suis venu, à titre

d'envoyé tout à fait personnel du Président qui connaît nos relations amicales. Je peux donc vous remercier de votre franchise, tout en m'effrayant de ce qui va découler des décisions de votre gouvernement. Je vous souhaite néanmoins bonne chance.

— Merci de vos vœux. Pour ma part, je rêve d'une grande Amérique débarrassée de sa mafia des grandes compagnies. Mais il est à craindre que je ne sois un incorrigible utopiste.

— Qui peut savoir ?

*
**

— Ici Dubois-Lancillon, tu es libre ?

— Je t'écoute.

— Paul vient de m'avertir. Conway lâche les chiens.

— Il les a lâchés plus tôt que prévu. Très mauvaise affaire. Les Sainval... probablement perdus. Beaucoup de difficultés pour étouffer l'affaire.

— Qu'est-il arrivé ?

— Un commando. Très étoffé. Je te ferai porter l'information complète. La D.S.T. réagit à toute allure et j'ai donné des instructions pour aller de l'avant, tant pis pour les bavures. Le personnel de Chapuis est en alerte. Gallois est sur place avec nos chercheurs traqués... Il nous faut passer le cap des premiers vols de démonstration. Les rapports des Renseignements Généraux qui parviennent depuis ce matin font état d'une effervescence croissante à la lecture des communiqués sur le Genon. C'est un signe encourageant.

— Je reçois Sebarine tout à l'heure.

— **Sois** conciliant sur la forme. Ne lâche rien sur le fond. Nous voulons des assurances formelles avant tout engagement de notre part.

— C'est évident.

*
**

Dimanche. Roissy. Aéroport Charles-de-Gaulle.

Une foule qui gronde comme la mer les jours de tempête. Une foule comme aucun des jeunes gens qui viennent de descendre du biturbine au ras des hangars gardés militairement n'en a jamais vue.

Pour une fois, Lucien et Françoise ne les ont pas quittés.

— Il y a certainement plus d'un million de personnes, estime le premier, semblant surpris et ému.

— Effrayant ! fait Julie qui reste bouche bée devant cette masse tenue à grande distance par un triple barrage de sécurité.

— Ce n'est pas tout ça... on se sépare ici. Françoise, tu accompagnes Julie. Je reste avec Noelle et Jacques...

— Tâchez d'être sages, fait la belle Françoise avec un grand rire.

— Nous ramènerons des vues de Mexico... promis...

Ils sont guidés vers les deux avions blancs, sortis des hangars et qu'entourent des gardes. Michel, Julie et Françoise embarquent immédiatement dans Delta Sierra et vont serrer la main de l'équipage déjà à poste.

— Heureux de te revoir, Yves...

— Et nous de même, assure Delapril. **Tu as préparé le vol ?**

— Moi ? demande Julie étonnée.

— Oui... toi et Michel, ainsi que votre invitée...

— Pour une démonstration autour du terrain...

— Bon. Un conseil quand même... prenez tous les trois ce qui vous convient le mieux pour tenir l'estomac en place. Les hôtesses en sont gavées...

— Tu as l'intention de nous secouer les tripes ?

— Pas du tout, mais on dirait que tu oublies la phase quatre avec un décollage grande pente...

— Zut !...

Ils se sont installés derrière les consoles et Françoise observe, tandis que Michel et Julie installent les émetteurs dans les trois tiroirs après avoir enfoncé les fiches. Essai, petites lampes qui s'allument. Les passagers embarquent. Ils sont aussitôt guidés à leurs places par les hôtesses qui s'assurent que les harnais spéciaux sont correctement attachés. Cela prend pas mal de temps, durant lequel le flot humain venant de Paris et des environs cerne le grand aéroport sur lequel le trafic n'a pas été interrompu. Les haut-parleurs alternent musique et informations sur le trafic.

— Ici Yves.

— Oui, ici Michel...

— L'embarquement est terminé. La démonstration durera trente minutes exactement. **Tu peux activer le Genon.** Nous passerons les paliers, au sol, de minute en minute pour habituer tout le monde.

— Reçu. Paré. Tout est en ordre ici.

— Vu. Serrez vos bretelles.

— Merci.

— Tu as entendu ? demande Julie à Françoise qui semble rêver.

— Oui... C'est si éprouvant que ça ?

— Plus encore.

La musique s'est interrompue au milieu d'une valse musette que des dizaines de milliers de couples tournaient ici et là. Un des deux Concorde roule sur la bretelle vers la piste principale. Il porte sur les flancs et l'aile un G suivi du signe —. Il est entièrement blanc.

Dans les haut-parleurs la voix du commandant de bord qui salue ses passagers puis l'immense foule. La machine s'est immobilisée non pas à l'extrémité mais au tiers de la piste. Yves Delapril explique posément ce que le million de spectateurs voient, bouche ouverte, les yeux écarquillés. Très haut sur son train d'atterrissage, l'avion a roulé puis a levé le nez, a décollé en deux cent cinquante mètres et s'élève en prenant un angle de plus en plus impressionnant. Yves Delapril annonce les soixante degrés fatidiques quand l'embarquement commence dans le second appareil.

— Genon, contact, demande Marc Doublet.

— Contact. Tout est correct ici.

— Reçu. Merci. Décollage dans quinze minutes.

L'appareil de démonstration passe à cent nœuds au-dessus de la piste de crash, si lentement pour sa masse que la plupart des spécialistes présents s'attendent à l'abattée. La remise des gaz est immédiatement suivie d'une montée ahurissante qui fait hurler un million de gosiers. Peur, joie, impossible de séparer l'une de l'autre.

Yves Delapril pose le Concorde Delta Sierra en trois cents mètres.

Marc Doublet donne l'heure.

— Il est exactement 11 h 59' 50".

Il est relayé par Dick qui égrène les dix secondes à suivre. En phase quatre, l'appareil prend son envol de l'endroit précis où Yves Delapril a effectué sa démonstration. Durant quelques secondes, Marc conserve six degrés de pente puis avertit ses passagers.

— Nous venons de décoller avec une masse de cent quarante-six tonnes pour un poids de quatre tonnes. Vitesse cent vingt-cinq nœuds. Notre angle de montée va atteindre progressivement soixante degrés.

Noëlle imagine les passagers dans leur compartiment et ferme les yeux pour dissiper son propre malaise. Jacques, comme à chacun des vols, demeure silencieux et crispé.

— Altitude sept mille mètres. Vitesse quatre cent cinquante nœuds.

Julie pointe son nez hors du Concorde immobilisé le long de son hangar quand les haut-parleurs font entendre la voix reconnaissable de Marc.

— Tu crois que Lucien va être malade comme moi ? demande Françoise, penaude.

— Personne ne peut rien dire avant.

— Altitude trente mille pieds, neuf mille mètres. Vitesse cinq cent cinquante nœuds.

— On va passer Mach 1, annonce Noelle en tournant la tête vers Lucien qui lui sourit.

— Invraisemblable, lui dit-il. Vous êtes responsables de la plus grande découverte depuis l'invention du feu... en admettant que quelqu'un n'ait pas tout bonnement ramassé un tison après un incendie de forêt...

— Mach 1. Nous venons de passer la vitesse du son. Notre angle de montée est de quarante degrés. Nous rétablissons.

Insensiblement, le long fuselage reprend l'horizontale et seul le bruissement de l'air sur la coque rappelle la nature de l'engin qui transporte cent sept personnes dont au moins quatre-vingt-dix-neuf sont encore secouées par le décollage et la prise d'altitude.

— Noelle... Ici Marc. Envoie-moi ton invité.

— D'accord. Si tu peux tenir debout, Lucien, tu y vas ? Tiens-toi à la main courante... tu n'as jamais été aussi léger.

— Merci du conseil, fait Lucien Gallois avec une grimace pour se lever et se haler avec précaution vers l'avant.

— Alors, commandant ? demanda Marc Doublet en relevant ses écouteurs.

— Je savais que c'était étonnant. Mais à ce point !

— Nous allons être escortés... Ils sont déjà là-haut, indique le pilote en montrant du doigt un sillage qui se devine à peine à travers l'épaisseur de la baie latérale.

— Américains ?

— Probable. Alors... cette sécurité ?

— A bord, vous êtes mieux protégés que des dictateurs sud-américains.

— Tant mieux. Vous êtes-vous jamais demandé ce qui se passerait si par hasard à notre vitesse actuelle, Mach 2,3, le Genon cessait de fonctionner ?

— Je refuse d'y penser. Pour le moment, Marc, nous ne pouvons rien faire que protéger nos cher-

cheurs et leur enfant. Lorsque les vols seront
terminés, nous trouverons une solution.

— Je vous avoue trouver cela extrêmement
désagréable.

— Le risque mérite d'être couru.

— Probablement. Je vais vous demander de
regagner votre siège. Nous allons ramener la
gravité en phase trois. Seule la cabine est concer-
née... Cela va soulager les passagers.

— Alors ? s'enquit Noelle quand Lucien reprit
sa place.

— Tout va bien. Nous allons passer en trois...

— Gare au vertige... Tu fermes les yeux et tu
attends une ou deux minutes que l'estomac se
raccroche.

Marc Doublet passe auprès d'eux plusieurs
minutes après le rétablissement de la gravité
normale dans la cabine. Il revient un bon moment
plus tard suivi d'un homme mince et nerveux, aux
traits tirés.

— Monsieur le Ministre, voici deux des responsables du projet Genon. Noelle Fournier, Jacques
Donat. M. le ministre de l'Equipement représente
le gouvernement durant ce vol.

Salut courtois. Sourire éblouissant de Noelle.
Le ministre prononce quelques mots inaudibles à
l'oreille du commandant de bord qui opine gravement. Durant après d'une demi-heure, les visiteurs se succèdent sans que Marc Doublet perde
de sa sérénité. Puis il regagne son poste à l'avant.

La descente vers la capitale mexicaine s'effectue
sans problème, le Concorde la survole dans l'axe
général du Paseo de la Reforma et reprend de
l'altitude. Durant trois quarts d'heure les messages sont échangés entre l'avion et la terre puis le

calme revient. Après la montée en phase quatre, Marc rétablit la gravité en cabine. Noelle se rend aux toilettes quand la porte s'ouvre et un inconnu pénètre dans le compartiment. Lucien lève les sourcils. L'homme s'installe auprès de Jacques Donat qui surveille ostensiblement le lecteur de route et les instruments qui l'entoure quand Lucien Gallois se lève et se penche vers le visiteur.

— Puis-je vous prier de regagner la cabine des passagers ? demande-t-il à mi-voix.

— Certainement pas. Je suis l'ingénieur général Armand de la D.I.A. et à ce titre...

— Monsieur, je suis dans l'obligation d'insister. Appartenant à un organisme d'Etat, vous avez été convié comme passager, rien de plus, et vous n'ignorez pas les consignes précises qui ont été remises par écrit. Je vous prie de regagner votre place.

— Je ne sais pas qui vous êtes mais je le saurai et cela vous coûtera cher.

— Ce n'est pas notre problème actuel. Ne m'obligez pas à intervenir plus précisément.

— Oh, oh, oh, jeune homme ! voici des choses à ne pas dire à un homme comme moi.

— Elles sont dites... je ne les répèterai pas, murmure Lucien Gallois en se penchant vers le visiteur qui cette fois se lève d'un bond et sort, furieux.

Noelle revient à ce moment-là. Lucien a repris sa place et Jacques rit silencieusement. Il lui raconte l'incident et elle hausse les épaules.

— Ici Marc... que s'est-il passé ? demanda le commandant de bord.

— Un ingénieur général qui a tenté de s'incruster... rien d'autre.

— Qui est-ce ?

— Armand.

— Merci...

Rien ne viendra troubler le vol jusqu'au retour. Il doit bien y avoir encore trois à quatre cent mille curieux pour assister à l'atterrissage du Concorde Genon. L'équipage au complet reste à bord jusqu'à la fin du débarquement des passagers. La plupart sont épuisés et malades mais aucun ne se risquera à l'avouer.

CHAPITRE XIX

La grande propriété mise à la disposition des « quatre » est aussi bien gardée que l'Elysée. Mieux sans doute. Mais ce dimanche soir, aucun des jeunes gens ne s'en préoccupe. La journée a été un succès total et une certaine confiance est revenue. Seul ennui, Michel a une forte fièvre et a dû prendre le lit. Un médecin, amené par Lucien, conseille du repos et une série d'analyses.

— Je prendrai sa place demain, assure Noelle qui ne semble pas fatiguée par le vol.

— Non, moi, insiste Jacques.

— Toi, tu vas te reposer. Il est connu que les hommes n'ont pas la résistance des femmes. Et puis je rêve de ce vol avec Julie depuis longtemps. C'est une occasion même si je ne peux pas remplacer Michel en tout.

— Bon, d'accord..., bougonne Jacques. C'est moi qui vais faire la garde-malade !

— Penses-tu ? Françoise m'a affirmé qu'elle ne bougerait pas d'ici. Tu auras une agréable compagnie... si Lucien vous fout la paix.

A l'aube, Michel grelotte avec une fièvre intense. Lucien semble trouver normal que les deux femmes aient envie d'effectuer ce vol ensemble. Françoise, comme prévu, reste dans la propriété. Elle passe la première heure à donner des ordres aux gardes et à téléphoner.

A Roissy, c'est Yves Delapril qui se trouve dans le poste de pilotage quand Julie et Noelle embarquent. Ils sont plus détendus que la veille pour la démonstration. Les passagers sont aussi nombreux mais d'un genre un peu différent.

— Nous avons le ministre des Armées et quelques spécialistes de chaque arme, annonce Delapril.

— Ils vont nous emmerder, grogne aussitôt Noelle.

— Non. Ils ont reçu les mêmes consignes que les autres. Et s'ils font suer le monde, nous resterons en phase quatre. De toute manière, la porte restera fermée. Et puis, ils ne peuvent rien voir ni faire.

— Ils peuvent seulement nous casser les pieds, c'est exact. Mais c'est beaucoup. Qui est chef de cabine ?

— Probablement un membre de la S.M.

— Les gens de Lucien ?

— Non... les militaires.

— Merde ! Et puis, après tout... tant pis.

Le décollage est effectué avec autant de sûreté et de précision que la veille et la première heure s'écoule sans qu'aucun des passagers ne manifeste l'envie de voir ce qui se passe à l'avant.

Il est midi à Tokyo. La foule terrifiante d'Asie trottine dans toutes les artères de la cité. Charrettes traînées par des petits chevaux à longue crinière, voitures à bras, cycles de toute sorte vont au tintement de leurs avertisseurs sonores, clochettes, timbres, gong ou tout bonnement le cri du conducteur.

Dix peintres casqués s'arrêtent devant l'immeuble de la poste. Ils rangent leur charrette à bras parmi les autres, prennent chacun deux canons de peinture et s'en vont en file indienne vers l'immeuble en face, haut de vingt étages et supportant l'antenne de réception et de réémission d'une chaîne de télévision. Sur le toit de la poste, le grand écran lumineux de l'*Asahi Shinbun* passe les nouvelles sans interruption.

Arrivés sur la terrasse, ils posent les pots de peinture, diposent les pinceaux, brosses et ustensiles de leur spécialité et examinent gravement la base de l'antenne qui porte des traces de rouille.

A la même heure, sur la route du pôle, le Concorde Delta Sierra vole à Mach 2,3. Loin audessus, deux sillages. Les Mig 235 qui surveillent. Dans le compartiment Genon, Julie et Noelle bavardent, déjà blasées. Devant elles les oscilloscopes frémissent, laissant apparaître de temps à autre une sinusoïde que l'une ou l'autre s'ingénie à rendre rectiligne par d'infimes réglages sur les molettes.

Un homme grand, bien découplé, jeune, souriant, ouvre la porte et referme derrière lui. Le chef de cabine n'a pas bronché.

— Me permettez-vous de rester quelques instants avec vous ? demande-t-il avec un grand sourire, les yeux pétillants de malice.

— Je crains que ce ne soit interdit, proteste mollement Noelle qui trouve que ce garçon a de bien beaux yeux bleus.

— Pas pour moi... Je ne suis pas indiscret. Mais entre vous et moi, ce voyage n'a rien de gai. Dans le compartiment, ils sont comme fous. Vous ne savez réellement pas ce que vous avez inventé.

— Oh... nous nous en doutons quand même, affirme Noelle, pour la forme.

— Cela m'étonnerait. En tout cas, mes compliments sincères.

— Sans vouloir vous offenser, qui êtes-vous ? demande Julie, plus réservée.

— Commandant Granjean.

— Ah... et vous faites quoi ?

— Moi ? Oh... j'étudie des systèmes d'armes. Vous savez... ce n'est pas aussi intéressant que votre réalisation mais l'une et l'autre ensemble cela doit donner des choses surprenantes. Mais je sais que par essence, les femmes sont allergiques aux armes. Laissons donc l'arsenal où il est.

— J'ai horreur des armes et de tout ce qui leur ressemble, dit Julie d'une voix froide.

— Nous en sommes tous là, jusqu'au moment où nous sommes obligés de les utiliser. Votre Genon... comment agit-il ?

— Non, monsieur... je ne sais pas si réellement vous pouvez rester ici. Je suppose que le commandant Delapril n'appréciera pas de vous y trouver, répond Julie plus sèchement encore.

— Ne vous fâchez pas. Vous n'êtes absolument pas tenue de me répondre et je serais étonné que Delapril trouve ma présence ici anormale attendu que je suis responsable de votre tranquillité. Ne vous inquiétez pas. Il se trouve que je préfère me trouver auprès de deux jeunes femmes... très sympathiques, plutôt que du côté d'une tribu de bonzes en train de refaire la dernière guerre.

— Ils sont tous militaires ? demande Noelle.

— Oui... d'une manière quelconque, oui. Ils entourent le patron ministre qui semble ravi. Il est un des rares à ne pas avoir dégueulé. Il imagine déjà des sous-marins-astronefs ou l'inverse, avec moteurs et bombes atomiques, des navires de l'espace, comme il dit, le cher homme, avec tout ce qu'il est possible d'imaginer comme artillerie de science-fiction. Inutile de lui demander pour quoi faire, il n'en sait rien. Vous voyez... j'ai entendu dire que vous apparteniez à un mouvement pacifiste... mondialiste... Je ne vous oblige pas à le confirmer... mais c'est toujours ainsi. La plus inoffensive des découvertes entraîne toujours l'homme à chercher ce qu'il va bien pouvoir en tirer pour foutre sur la gueule du type d'en face.

— Et vous pensez que ce ministre et son entourage rêvent en ce moment d'utiliser le Genon comme une arme, n'est-ce pas ?

— Je n'ai pas dit : rêvent. J'ai dit projettent, évoquent, fabriquent verbalement, imaginent, tout ce qu'il y a de plus consciemment.

— Mais vous, monsieur, qu'en pensez-vous, en tant qu'homme ? demande Julie qui dévisage l'homme aux yeux bleus.

— Je n'ai pas encore atteint l'âge du renoncement, madame. Je pense que la vie vaut la peine d'être vécue. Mais je suis obligé de tenir compte du fait que l'humanité ne survit qu'au prix de luttes incessantes, non pas contre l'environnement, comme cela devrait être le cas, mais entre tribus, nations, races, idéologies... depuis Caïn et Abel... l'homme n'est heureux que lorsqu'il domine son semblable. S'il ne le domine pas, il l'envie et cherche à le flanquer par terre pour lui écraser la tête...

— Arrêtez... je vous en prie... J'ai horreur de ces vérités trop souvent rabâchées...

— Mais vous avez dit : vérités...

— Nous voulons, que dis-je, nous exigeons que le Genon serve les peuples du monde et la paix. Je ne sais pas si nous y parviendrons, monsieur, mais nous sommes décidées à tout pour y parvenir.

— Je souhaite de tout cœur votre réussite. Malheureusement, on refait difficilement le monde. Il y a sur la planète une telle quantité de produits de destruction qu'on se demande s'il restera un seul couple vivant quand tout ça va péter.

— Vous voyez, moi qui suis un incorrigible utopiste, j'imagine un astronef Genon ; supposez un grand navire... un minéralier... dans lequel on dispose toutes ces saloperies de fusées et surtout leurs ogives. Avec le Genon, un tout petit moteur, enfin, pas grand-chose, on dirige l'engin tout droit vers le soleil qui s'en fout et reçoit sans rien dire ce qu'on lui envoie. Evidemment, avant, il faut être devenus mondialistes... Mais j'aime rêver.

— Nous voulons tous notre part de rêve. Dommage que la réalité nous ramène sur Terre. Que pensez-vous de l'affaire Sainval ?

— Pardon ? fait Julie en alerte.

— Vous avez dû connaître les Sainval...

— Euh... oui, répond la jeune femme prudemment.

— Qu'en pensez-vous ?

— Ce sont des physiciens... très sages... qui ont compris...

— Je pense que vous n'avez pas suivi les informations de ces dernières heures.

— Non. C'est juste, murmure Noelle qui pressent un drame.

— Il a été révélé qu'un attentat criminel a détruit la maison des Sainval. Ils n'auraient pas survécu à leurs blessures...

— Ah... Tu as entendu, Julie ? fait Noelle, devenue blême sous son hâle. Eh bien. En effet... C'est tout ce qu'on a dit ?

— Oui... personne ne sait très bien pourquoi cet attentat a été perpétré. Certains y voient la main de l'Amérique. D'autres la fatalité... Un accident... il est trop tôt pour se faire une opinion. Si je vous en ai parlé, c'est parce qu'il me semble avoir entendu, je ne sais où, que vous aviez pu les connaître.

— Oui... nous les avons connus, fait Noelle d'une voix blanche. Eh bien, merci d'être venu nous voir. Si vous voulez, vous allez nous laisser, nous devons assister le commandant pendant un petit quart d'heure... ensuite... vous reviendrez si vous avez envie... d'accord ?

— Bien sûr, s'exclame le grand gaillard aux yeux bleus en se levant pour quitter le compartiment.

Julie a pris la main de Noelle et la serre entre les siennes...

— Robert et Madeleine... eux !... notre faute...

Je ne peux pas, Noelle... je ne peux pas accepter...

— Mais pourquoi les a-t-on tués ?

— Tu le demandes ? Pour avoir cette pourriture de Genon ! Et on tuera encore et toujours... ici ou ailleurs... L'avion est plein de gens qui ne voient que la mort comme finalité de notre découverte... Mais cela, je m'en foutrais. Robert et Madeleine... Nous les avons tués... toi, moi, les copains...

— Il reste une minute, Julie...

— Je ne veux pas...

— Tu penses à Michel ?

— Et toi ?...

— Je ne veux pas penser... Si la minute s'écoule... La lampe est allumée...

— Ils oublieront... Ils feront ce qu'ils voudront... mais moi je ne veux pas...

*
* *

Les deux colonels qui occupaient le cockpit du Mig 235 sursautèrent au même instant. La longue flèche blanche qui suivit sa trajectoire parfaite par-dessus la banquise venait de broncher et soudain de se disperser en une gerbe prodigieuse que masqua une boule de feu et de fumée. Le pilote dirigea son bolide sur la trajectoire des débris, appuyant sur le contact des caméras et redressa la machine quand il n'eut plus rien devant lui.

A l'issue du virage à 360 degrés effectué en decendant vers la blancheur éblouissante des glaces, les deux hommes hochèrent la tête, incrédules.

— Avertir la base, avant tout et vite..., murmura le colonel Serof...

— Avertissez immédiatement, ordonna le colonel King après avoir revu les images sinistres enregistrées par le magnétoscope couvrant le radar multidirectionnel. Il y a deux Mig dans la zone... Aucun sillage de fusée... Il pourrait être intéressant que l'Air Force entreprenne immédiatement des recherches sur la banquise...

— Youchkine ! voyez avec l'unité spéciale 867. Cette zone doit être immédiatement contrôlée. Récupérer la moindre pièce, le plus petit débris...

— Entendu, camarade général...

Sur la terrasse de l'immeuble, face à la poste, les dix ouvriers en casque blanc étaient parvenus à trois mètres du niveau du béton, quand le chef d'équipe donna un ordre. Ils suspendirent leurs gestes minutieux le temps que, l'oreille collée à son minuscule récepteur, le responsable hoche une dizaine de fois la tête avec raideur.

Il aboya un autre ordre et le travail reprit aussitôt, sauf pour deux des ouvriers qui se dirigèrent sans se hâter vers un très long colis dissimulé sous une bâche verte, derrière l'alignement des canons de peinture. Avec adresse et célérité ils démontèrent ce qu'ils avaient assemblé trois heures auparavant. Les éléments principaux redevinrent des canons de peinture. Le reste, en unités plus petites, fut noyé dans la peinture restante.

L'équipe peignit encore durant une heure avant
d'abandonner le chantier en emmenant tout son
matériel. Il ne resta sur la terrasse, sous la bâche
verte, que le corps du gardien égorgé.

Le matériel fut chargé sur la voiture à bras.
Quatre hommes prirent les brancards, les autres
poussèrent. Sur l'écran géant de l'*Asahi Shinbun*,
en lettres de dix mètres, la nouvelle fulgura. Les
petits ouvriers n'y jetèrent pas un regard, pas
plus qu'ils ne demandèrent qui avait bien pu faire
le travail à leur place.

CHAPITRE XX

Lucien pénétra en trombe dans la salle de séjour, une main dans la poche de son blouson. Il vit le corps de Françoise, serra les lèvres, se pencha sur elle et arracha sa chemisette, collant son oreille au buste. Il se releva, un peu rassuré et décrocha le téléphone.

— Serval, ici le commandant Gallois, le toubib, à toute allure. Avez-vous vu passer quelqu'un ? Qui ça ? Quand ?... Bon Dieu ! Avertissez immédiatement le poste quatre et la gendarmerie. Qu'on l'intercepte. Le neutraliser. Non, pas l'abattre, bougre de con ! Excusez-moi, Serval... C'est ça... Il est peut-être dangereux mais il vaut... trop cher pour qu'on le descende.

— Lucien, murmura Michel depuis la porte de la salle de séjour.

— Tu es là ? s'exclama le commandant Gallois, le visage crispé.

— Je viens de me réveiller... d'entendre... je descendais... me voilà... Qu'est-il arrivé ?

— Nous n'en savons rien... seulement des doutes... *A peu près certainement pas une attaque extérieure...* Nous avons commis une erreur grave... laisser partir Noelle et Julie ensemble... C'est mon avis... Mais laisse-moi m'occuper de Fran, elle a été durement touchée...

— Par qui ?

— Par quelqu'un qui en a eu assez... qui n'a pas accepté un sacrifice effroyable et qu'elle a sans doute voulu apaiser, calmer, consoler... Fran... ne bouge pas surtout... Je suis là... Lucien...

Michel s'agenouilla auprès du commandant Gallois pour tenter de lire sur le visage exsangue sous le hâle. Un frémissement parcourait les paupières, rien d'autre. Lucien avait posé une main sur le poignet portant la grosse montre et la dégrafa, les dents serrées.

— Michel...

— Oui...

— Tu as entendu la radio ?

— Oui...

— Jacques est parti... Fran... je ne sais pas avec quoi il a frappé... Il reste toi et moi... et puis l'œuvre immense à poursuivre... ou à abandonner... C'est ton choix.

— Si je savais ce qui est arrivé...

— Nous ne le saurons jamais. Ce qui est certain, c'est que le Genon a déjà modifié une quantité fantastique d'éléments dans le monde...

— Tu crois que Fran... pourquoi ne bouge-t-elle pas ?

— Je t'en prie... Réagis en homme, en responsable... Elles t'ont donné l'exemple, non ?

— Je n'arriverai à rien... tout seul... plus personne...

— Pas seul, Michel, avec moi... et peut-être elle, si tout va moins mal...

— Jacques ?

— Non... N'aie pas trop d'espoir...

— Tu ne pardonneras pas ce qu'il a fait, c'est ça ?

— Non, ce n'est pas ça. Mais c'est lui qui ne va pas se le pardonner. Et nous ne pouvons pas le laisser courir n'importe où...

— Ce sera pareil pour moi si je refuse de poursuivre.

— Je prends sur moi de te répondre une fois de plus, non. Je te laisse le choix, en homme.

— Pourquoi ?

— Michel, tu ne vas pas me laisser croire qu'elles sont parties pour rien ! Tu n'es seul que vis-à-vis du couple que vous formiez... de la bande de copains. Mais te rends-tu compte que tu as un peuple, un pays, d'autres pays qui espèrent, qui rêvent, qui ne savent pas que tout est entre tes mains...

— Tu vas m'aider ?

— Oui.

— Fran...

— Nous devions nous marier à l'issue de cette mission, Michel.

— Tais-toi... Pourquoi ce toubib de merde ne vient-il pas plus vite ?

— Il va venir... va t'habiller... nous allons filer d'ici... Il le faut.

**
*

Arsène Carré se tenait immobile, massif, derrière la grande table formant rempart entre lui et les trois hommes assis, quand le commandant Gallois fut introduit dans le bureau.

— Alors, commandant, que devons-nous conclure ? demanda le Premier ministre le visage déformé par la colère, la fatigue, l'anxiété et un début de déception.

— Je viens de recevoir le résultat des travaux de l'équipe dirigée par le commandant Doublet. Le film soviétique ne laisse aucun doute. Le Delta Sierra a été disloqué instantanément par cessation du fonctionnement du Genon.

— Nous nous en doutions. Mais encore ?

— Ce que je vais dire n'engage que ma responsabilité.

— Vous êtes le seul à avoir suivi d'aussi près que possible la démarche de ces jeunes gens, commandant. Nous devons tout savoir, tout.

— J'ai commis une erreur psychologique terrible en laissant Noelle Fournier remplacer au pied levé Michel Viauran malade. Dans le Delta Sierra ne se trouvaient que des officiers supérieurs des trois armes entourant le ministre. Enfin, dernier détail, la sécurité a été assurée par l'Armée et non par nous. Sur ordre exprès du ministre. Quelqu'un a commis une faute, probablement par ignorance et ces jeunes femmes, aveuglées par un idéal qu'elles bâtissaient de toute leur volonté, ont refusé de le voir bafoué, contré ou détruit.

— Vous estimez qu'elles ont, volontairement, arrêté l'émission du champ écran ? s'exclama l'un des assistants d'une voix sourde.

— Elles avaient une volonté suffisante pour passer tous les obstacles, y compris la peur instinctive de la mort. Nous leur avions caché la mort des Sainval et surtout les conditions de celle-ci. Nous avions recommandé au service de sécurité qui escortait le ministre des Armées d'interdire l'accès du compartiment Genon. Qui peut savoir ce qu'il s'est réellement passé ?

— Parce que vous excluez une défaillance technique ? gronda la voix de basse du ministre de l'Industrie.

— Le commandant Doublet est prêt à assurer la liaison Paris-Tokyo dès demain.

— Il est au courant de ce que les Japonais ont découvert ?

— Marc Doublet a la même idée que moi sur la disparition du Delta Sierra. Il avait une profonde affection pour ces deux jeunes femmes. C'est désormais pour lui une question d'honneur et de respect pour leur mémoire.

— Qu'est devenu le disparu ?

— J'ai appris en venant ici qu'il venait d'être retrouvé... mort... noyé.

— C'est catastrophique...

— Il ne reste que Michel Viauran et l'organisation que nous avons mise au point.

— Le plus mou des quatre, si j'en crois les rapports, murmura le ministre de l'Industrie.

— Je regrette, monsieur le ministre, je ne partage pas ce point de vue. Il est l'un des quatre. Il demeure plus que jamais mon ami. Il est terriblement vulnérable parce que seul, désormais. J'ajoute que les deux exemplaires du Genon sont en lieu sûr. Ils attendent votre décision. Pour ma part, j'ai demandé à être relevé de mes fonctions... j'ai remis ma démission au général Chapuis.

— Nous sommes au courant, répliqua Arsène

Carré. J'ai lu votre lettre. Exceptionnellement. Chapuis est un de mes amis. Il connaît son personnel, je suppose que vous le savez. Je refuse votre démission. Vous pouvez passer outre. C'est votre droit. Mais vos deux amies seront mortes pour rien. Je doute également que la jeune femme qui lutte contre la mort à Bégin approuve une telle décision... Vous allez recevoir notification de votre nouvelle mission. En gros, si vous restez au Service... vous aurez la responsabilité entière de la sécurité de l'entreprise Genon. Je vous remercie, commandant Gallois. Le professeur Dallandière me disait voici peu au téléphone qu'il avait bon espoir de tirer de là Françoise Le Guermeur...

Arsène Carré attendit que la porte se soit refermée sur les talons de l'officier et soupira.

— Bien... nous en avons terminé avec les états d'âme... où en sommes-nous avec Londres pour leurs Concorde ?

— Wait and see, position inchangée.

— Fort bien. Vous laissez tomber totalement le dossier. Hier soir, Sebarine a passé quatre heures, incognito, chez moi. Les propositions qu'il m'a faites sont tellement intéressantes qu'elles demandent confirmation. Et fort curieusement, je les crois sincères... les voici...

F I N

DÉJA PARUS DANS LA MÊME COLLECTION

VIENT DE PARAITRE :

K.-H. Scheer

CENTRE D'INTENDANCE GODAPOL

ACHEVÉ   D'IMPRIMER
SUR   LES   PRESSES
DE   L'IMPRIMERIE   FOUCAULT
126, AVENUE DE FONTAINEBLEAU
94270   -   LE KREMLIN-BICÊTRE

DÉPOT LÉGAL : 3e TRIMESTRE 1980

IMPRIMÉ   EN   FRANCE

PUBLICATION MENSUELLE